心に火がつく101の言葉

[決定版]

スティーブ・ジョブズ名語録

桑原晃弥

PHP

はじめに――「今は大変な時期」だからこそ、ジョブズの言葉を知ってほしい

スティーブ・ジョブズが亡くなって間もなく10年が経とうとしている。

ジョブズが亡くなった当初はその将来が不安視されていたアップルは、今や時価総額が2兆ドルを超える世界一の企業として成長し続けている。

ジョブズは念願通り「優れた製品」だけでなく、「長く成長し続ける企業」も残すことに成功したと言える。

そしてもう一つ、ジョブズがみんなに残したのは「何も持たない若者でも世界を変えられる」という事実である。

ジョブズはアップルを創業したが、技術は共同創業者スティーブ・ウォズニアックの天与の才にはかなわなかったし、お金は年長の成功者マイク・マークラに出してもらっている。経営に関してもペプシコーラの経営者だったジョン・スカリーをスカウトしている。

つまり、アップルを創業した頃のジョブズは学歴もなく（大学は半年で中退）、これといった縁故もなく、技術もお金も経営手腕も持たない若者だったが、たった一つだけ「自分以外誰も信じていないビジョンと情熱」を持っていた。

そして、それこそが起業するつもりなどなかったウォズニアックの気持ちを動かし、マークラを口説き落とし、アップルⅡやマッキントッシュを生み出す原動力となっている。多くの企業は優れた技術者や頭の切れる人材を大量に抱えているが、それだけではダメで、最終的には「それを束ねる重力」のようなものが必要になるというのが、ジョブズの考え方である。

若き日のジョブズには卓越した技術や経営の能力はなかったものの、「世界を変える」というビジョンと情熱によって人を惹きつけ、持てる能力を限界まで引き出すことで本当に世界を変えてみせたところにすごさがある。

だからこそ、カリスマなのである。

そんなジョブズがあとから起業する若者たちを勇気づけたのは当然のことである。フェイスブック（２００４年創業）の創業者マーク・ザッカーバーグは23歳の頃、若きＣＥＯ

としてどのように経営にあたっているのかを聞かれ、敬愛するジョブズの言葉を挙げて、こう答えている。

「ジョブズがこんなことを言っていた。『好きだと心の底から思い込め。でなければやり遂げるかいがない』って」

そして、ジョブズを追悼して、「スティーブ。指導者、そして友人でいてくれてありがとう。世界を変えられることを見せてくれてありがとう。寂しくなる」と話している。ジョブズの自宅の近くに住むラリー・ペイジ（グーグル創業者）もジョブズが亡くなる少し前に、「優れたＣＥＯになるヒントをうかがいにあがっていいか」と連絡、「何でもありの状態」ではなく、「集中」することの大切さを教えられている。

スポーツの世界でしばしば起きるのが、長い間破られることのなかった陸上競技の記録を誰か一人が破ると、あとに続く者が何人も出てくるという現象だ。「ロジャー・バニスター効果」とも呼ばれているが、長年にわたって「壁」であり「不可能」と思えた記録も、たった一人の突破者が出ると、心理的な壁が壊れ、誰も不可能とは思わなくなるということだ。

同様にジョブズが何も持たない若者でも世界を変えられることを見せてくれたことで、ザッカーバーグやペイジとサーゲイ・ブリン（グーグル創業者）、アマゾンの創業者ジェフ・ベゾスやスペースXの創業者イーロン・マスクなども、ジョブズばりの「クレイジーな働き方」で世界を変えることができたのではないだろうか。

ジョブズ自身もヒューレット・パッカードの二人の創業者を自らのロールモデルと呼んでいたが、ジョブズ自身が若き起業家たちにとっての良きロールモデルとなったことが、その後のグーグルやフェイスブック、アマゾンやテスラ・モーターズ、ネットフリックスなどの躍進につながったのではないかと考えている。

振り返ってみればかつての日本にも松下幸之助や本田宗一郎、盛田昭夫といった何もないところから世界的企業を育て上げた起業家たちがたくさんいた。もちろん今も若き起業家はいるわけだが、残念ながら世界レベルで戦っている日本企業は少なくなったように感じる。

そんな時代だからこそもう一度「スティーブ・ジョブズ」に目を向けてもいいのではないだろうか。過去にジョブズの本を読んだ人も、今読めば違った感想を得るかもしれないし、ジョブズをよく知らない人にとっては、きっとたくさんの発見があるはずだ。

２００１年の「９・11」が起きた１カ月後にｉＰｏｄを発表したジョブズは、こんな言葉を口にした。

「今は大変な時期だけど、でも人生は続く。続けなきゃいけないんだ」

今、日本だけでなく世界は新型コロナの感染拡大によって１年半以上にわたって厳しい戦いを強いられているが、そんな時だからこそジョブズの言葉が胸に響く。

今は大変な時代だ。将来への不安から気持ちが暗くなることもあるだろう。そんな時だからこそ、ジョブズの言葉から生きる力を得ていただければ幸いだ。

本書の執筆と出版には翻訳家の秋山勝氏、アールズ株式会社の吉田宏氏、ＰＨＰ研究所の吉村健太郎氏、中村悠志氏のご尽力をいただいた。心より感謝申し上げる。

２０２１年９月

桑原　晃弥

［決定版］スティーブ・ジョブズ名語録　もくじ

第2章

ジョブズ「ヒットの秘密」を語る

第3章

ジョブズ「イノベーション」を語る

第4章 ジョブズ「プレゼンテーション」を語る

第7章

ジョブズ「生と死」を語る

序章

今も残り続ける
ジョブズの「魂」

アメリカ企業で初の「2兆ドル企業」となったアップル

アップルの株価が絶好調だ。

２０１８年8月、アップルの時価総額が民間企業として初めて１兆ドルを突破したかと思うと、わずか2年後の２０２０年8月にはアメリカの企業として初めて２兆ドルを超えることになった。

日本円に換算すると約２２０兆円（１ドル＝１１０円）となる。２０２１年度の日本の一般会計予算が約１０６兆円だから、アップルの時価総額は日本の国家予算の倍以上となる。日本一のトヨタ自動車（約30兆円）の7倍以上である。

それから1年後の２０２１年8月23日現在、同社の時価総額は2兆４５００億ドルに達し、3兆ドルを狙うところまできているのだから、新型コロナの感染拡大を受けてなおこれほどの成長を続けているのには驚くばかりである。

もちろん時価総額というのは売上や利益と違って株価次第で大きく変動することになる。それがどれほど気まぐれなものかは、「世界一の投資家」ウォーレン・バフェットの師ベンジャミン・グレアムの「株価は長期的には重量計だが、短期的には人気投票」という言葉がよく表している。

しかし、そんなバフェットが率いるバークシャー・ハサウェイがアップルの発行済み株式の５・４％、金額にして１２０４億ドル（２０２０年12月末現在）を所有しているのだから、バフェットがアップルの長期的成長をどれほど確信しているかがよくわかる。

バフェットの投資原則は「数十年先まで必要とされるものをつくっている」ことだが、確かに5G時代がアップルのｉＰｈｏｎｅにかける期待はとても高いものがある。さらにアップルにはバフェットが重視する「高いブランド力」も備わっている。

華麗なるデビューと、大いなる挫折

アップルを時価総額世界一の企業に導いたのは、創業者のスティーブ・ジョブズである。ジョブズがアップルのＣＥＯを辞任したのは２０１１年8月だが、この時期、同社の時価総額は３３００億ドルを超え、マイクロソフトやエクソンモービルを抜いて世界一（同年8月10日）になっている。

しかし、辞任からわずか2カ月後の２０１１年10月、ジョブズが56歳の若さで亡くなったことで、ウォール街の人々に限らず多くの人が感じたのが「将来の成長への不安」だった。

理由はアップルという会社はジョブズが生み、そして再生させた企業であり、ジョブズ不在の10年余り（１９８５年～１９９７年）のアップルは一時的には栄華を極めたものの、後半は混乱の極みにあったからだ。

１９７６年、ジョブズと天才技術者スティーブ・ウォズニアックが創業したアップルは、それから10年足らずのうちにアップルⅡ、リサ、マッキントッシュといった画期的な製品を生み出し、一躍時代の寵児《ちょうじ》にのし上がった。

中でも画期的だったのが、１９８４年に発売された「世界を変えたコンピュータ」と言われたマッキントッシュ（マック）である。誰もが簡単に使いこなせる操作性を持ち、デザインにもこだわったこのコンピュータは世界に衝撃を与えた。

ペプシコーラからマーケティングのプロであるジョン・スカリーを迎え入れ、販売にも力を入れた。社運を賭けた歴史的なテレビＣＭ「１９８４」も大反響となった。マッキントッシュは発売後の１００日間で７万台を売る大成功を収めた。

しかし、マッキントッシュの売上はその後失速し、結局、期待ほどには伸びなかった。そして、ジョブズは自身がスカウトしたスカリーによって翌年、アップルから追放されるという試練を味わうことになる。

「落ちたリンゴ」と、ジョブズの華麗なる復活

その後、数年間はマッキントッシュのお陰もあり、アップルは売上を伸ばし続け、コンピュータの販売台数で世界一の企業となったものの、スカリーが政界に関心を示すなど「ボールから目を離してしまった」ことで業績が急速に悪化し始め、ＣＥＯも次々と変わるという混乱期を迎えている。

この時期、急速に勢いを伸ばしたのがビル・ゲイツ率いるマイクロソフトである。マッキントッシュのあとを根気よく追い続けたビル・ゲイツはＯＳの「ウィンドウズ95」でコンピュータ業界の覇者となったのに対し、アップルは凋落《ちょうらく》の一途を辿《たど》り、ギル・アメリオがＣＥＯに就任した頃には「落ちたリンゴ」と呼ばれ、もはや倒産か身売りしかないという悲惨な状態に追い込まれていた。

それがどれほどひどい状態だったかは、ジョブズがアップルに復帰して、暫定ＣＥＯに就任した１９９７年、「ある朝目を覚ますとスティーブ・ジョブズになっていたらどうするか」と質問されたマイケル・デル（デル・コンピュータ創業者）の「私ならアップルを閉鎖して株主にお金を返すだろうね」という言葉が端的に表している。

一方、アップルを追われたジョブズだが、その意欲はまったく衰えていなかった。ネク

スト社を立ち上げてコンピュータ事業に携わるとともに、１９８６年にはピクサーを買収し、そのＣＥＯに就任。『トイ・ストーリー』などの作品を立て続けにヒットさせるなど、新しい世界で見事な成功を収めていた。

追放した側とされた側の力関係は、10年でまったく逆転するに至ったのだ。

そして再び始まった新たなジョブズ伝説

悲惨な状況だったアップルにジョブズが復帰したのは１９９６年、アメリオが新しいＯＳを求めてジョブズのネクストを買収、特別顧問に迎えたことがきっかけだった。しかし、ピクサーを１９９５年に株式公開したことで地位も名誉も資産も回復していたジョブズにとって、この復帰は非常にリスクの高いものだった。一歩間違えると「ジョブズはアップルの誕生にも臨終にも立ち会ったトップという役割を担うことになる」恐れもあっただけに、さすがのジョブズもアップルへの復帰、ましてやＣＥＯへの就任には悩んだものの、最終的には復帰を決断している。

暫定ＣＥＯに就任して辞任するまで（１９９７年〜２０１１年）のジョブズの手腕は見事なものである。

まずは１９９８年に「ｉＭａｃ」を発売、大ブームを巻き起こす。そして、２００１年には「ｉＴｕｎｅｓ」および「ｉＰｏｄ」を発売、「音楽の聴き方と買い方を変えた」と言われるほどの世界的大ヒット製品を生み出している。

２００１年というとアメリカにとっては決して忘れることのできない「９・11」の年であり、多くの人が悲しみにうちひしがれる中、「世間の人たちにささやかな喜びを提供できるんじゃないかな」と、ｉＰｏｄというアップルにとって「記念碑的な製品」を世に出す意義を強調している。

ｉＰｏｄによって音楽業界に革命を起こしたジョブズは、次に操作の面倒くささに我慢がならなかった携帯電話に狙いを定め、２００７年にｉＰｈｏｎｅを発売、スマートフォン時代の幕を開けることになった。

ｉＰｈｏｎｅの発売は、アップルにとっては稼ぎ頭だったｉＰｏｄを「食う」可能性のある危険な行為だったが、「自分で自分を食わなければ誰かに食われるだけ」と考えるジョブズは意に介さなかった。さらに２０１０年には、マックにとって代わる可能性のあるｉＰａｄを発売するなど、自社製品を「過去の遺物」にする恐れのある製品を次々と発表することで、マックに依存していた企業から、その後のスマートフォン時代をリードする会社に脱皮させることに成功している。

結果、倒産か身売りかと言われたアップルの時価総額は2010年にマイクロソフトを抜いてコンピュータ業界のナンバーワンとなり、2011年にはエクソンモービルを抜いて世界一の座を獲得することとなった。

ジョブズはずっと「組織」について考えていた

ジョブズが亡くなったのはまさにそんな絶頂期である。だからこそジョブズが亡くなることでアップルに再びかつての混乱の時代が訪れるのではないかと不安視する人がいたのは当然のことと言える。しかし、実際にはアップルはCEOティム・クックの下でさらなる成長を遂げている。

なぜジョブズという唯一無二のカリスマを失っても、アップルは成長できたのだろうか。

その理由を「ジョブズのビジョンとクックの経営手腕」に見る人もいる。確かにジョブズは生前からクックに大きな信頼を寄せていたが、それ以上に、ジョブズという経営者がつくり上げたアップルという組織にこそ本当の強みがあるのではないだろうか。

ジョブズは若い頃から「暴君」とも呼ばれ、組織を率いるのに向かない若者と見られていたが、実際には若い頃から組織について実に深く考えていた。

マッキントッシュの開発に取り組んでいた頃、ジョブズは「アップルをどうしたいか?」と質問され、こう答えている。

「魂を持ち合わせた100億ドル企業にしたい」

さらにこんなことも言っている。

「素晴らしい製品をつくるだけでなく、素晴らしい会社をつくることも僕はずっと目標にしてきた」

ジョブズが「世界を変えるほどの製品づくり」に情熱を傾けてきたことはよく知られているが、同時にジョブズはこうした製品は「すごい製品をつくりたいと社員が猛烈に頑張る会社」からしか生まれないこともよく知っていた。

復帰後すぐに、製品をたった四つに絞り込む

そのために、アップルに復帰したジョブズが最初に手がけたのが「アップルの魂」を取り戻すことだった。アップルを外から見ていたジョブズにとって、アップルの凋落はスカ

リー時代の「急速な成長」ではなく、「価値観の変化」が原因だった。

初期のアップルに成功をもたらしたのは「世界を変える」ほどの革新的な製品だったにもかかわらず、スカリーによって最も大切なものが「製品」ではなく「金儲け」に変わったことで、アップルは魅力のない企業になり、そこから凋落への道を歩むことになったというのがジョブズの見方である。こう振り返っている。

「原動力は製品であって利益じゃない。スカリーはこれをひっくり返して金儲けを目的にしてしまった。ほとんど違わないというくらいの小さな違いだけど、これがすべてを変えてしまうんだ。誰を雇うのか、誰を昇進させるのか、会議で何を話し合うのか、などをね」

企業における利益の大切さをジョブズは否定しているわけではない。かといって、「利益第一」になってしまうと、優れた製品をつくりたいと願う優秀な人材、いわゆるＡクラスの人材は会社を去り、優れた製品を生み出す力は衰えることになる。

初期のアップル（１９７６年～１９８５年）時代、ジョブズは大企業であるＩＢＭやゼロックス、ポラロイドなどについてかつての夢や輝きを失った企業と評していたが、その原因の多くは「価値観の変化」にあると考えていた。

人もお金も技術も備えた大企業がイノベーションを起こせないのは、「優れた製品」よりも「利益」や「組織の維持」のほうが重視されるようになるからだ。

だからこそ、アップルに復帰したジョブズは、アップルがつくる価値のない何十という製品群をわずか四つに整理して、そこにまだ残っていたAクラスの人材を集中させることで「世界を変える」ほどの「優れた製品」をつくることを何より優先したのだ。

ジョブズがつくり上げたのは「イノベーションを生み出す組織」

ジョブズが復帰した頃のアップルの売上高は、最盛期より大きく落ち込んでいたが、「アップルは売上120億ドルの黒字企業にはなれないし、売上100億ドルの黒字企業にもなれないが、売上60億ドルの黒字企業にはなれる」として、「得意なこと」に集中することでアップルを小さくとも優れた製品を生み出す利益の出る企業に再生しようと考えていた。

そんなジョブズにとって「優れた製品をつくる」という「アップルの魂」は何より大切なものだった。初期のアップル時代からジョブズはたとえ大企業になってもアップルは夢やロマンを持ち続ける企業でありたいと願い、その一環としてマッキントッシュを100

人以下の小さなグループでつくり上げ、こうした少数のグループの有効さを証明したいと考えていた。

今やグーグルやアマゾンなどが少人数のチームをいくつもつくり、たくさんのプロジェクトを進めているのはよく知られているが、ジョブズは早くから規模の小さなチームの有効性を認識していた。

「会社自体が最高のイノベーションになる」はジョブズの言葉だが、ジョブズは「優れた製品」をつくるためには、「優れた人材」だけでも「優れた技術力」だけでもダメで、まして や開発にかける金額の多寡《たか》でもなく、会社という組織そのものを「優れた組織」にすることこそがイノベーションを起こし続けるためには必要だと早くから気づいていた。

その確信を深めたのがピクサーでの経験であり、どん底にあったアップルの組織を大きくつくり変えたからこそアップルは再生し、やがて世界最強企業への道を歩み始めることができたのだろう。

これまでジョブズについては「世界を変えるほどの製品をつくる」ビジョナリーやプレゼンターとして語られることが多かったが、それだけではジョブズというカリスマが去ったあとのアップルの躍進を説明するのは難しい。

イノベーションを起こすためには普段あまり顔を合わせることのないいろいろな部署の社員が偶然顔を合わせ、何気ない会話を交わし、そこからいろいろなアイデアや創造性が生まれることが必要だとジョブズは考え、ピクサーなどではそれを可能にするオフィスをつくり上げてもいる。オフィス環境もチームの一つであり、協働と創造性を促進するオフィスをつくってこそイノベーションは生まれるとも説いている。

ジョブズの考え方は当時としては突飛なものだったが、今ではこうしたイノベーションを生む組織やオフィスの正しさが証明されている。すごい製品をつくるためには、すごい製品をつくりたいと社員が猛烈に頑張るオフィス、組織、会社をつくることが不可欠だが、ジョブズがそんな会社を目指しながら、世界を変えるほどの「優れた製品」を次々とつくり上げたからこそ、アップルはジョブズが亡くなってからの10年の間、目を見張るほどの成長を続けることができたのではないだろうか。

本書では、いまだ価値を失わないジョブズの経営観や人生観を、そのエッセンスが詰め込まれた「名言」からひも解いていくことにしたい。

▼ジョブズが手がけた作品たち①
アップルⅠ、Ⅱ

アップルⅠは、世界初のパソコンともいわれ、スティーブ・ウォズニアックがほぼ独力で開発した。キーボードやケースはなく、自分で組み立てるマニア向け製品だったこともあり、生産台数は２００台。販売台数は１７０台だという。

アップルⅡは、世界初の一般人向けパソコンとされ、やはりウォズニアックが独力で開発した。本体とキーボードは一体型。箱から出して電源を差し込めば誰でもすぐに使える完成品で普及しやすかった。

それまでニッチ（隙間）にすぎなかったパソコン市場はアップルⅡの登場で一大マーケットになり、後発参入組が相次いだ。

さらに多くのソフトウェアも開発され、その使いやすさがアップルⅡをより広めるという相乗効果で大ヒットとなった。

米国では多くの人が確定申告をしなければならないため、表計算ソフトの「ビジカルク」は特によく売れた。

販売台数は年々激増し、１９９３年までに約５００万台が生産された。

第 1 章

ジョブズ「発想のセオリー」を語る

倦《う》むことなかれ、愚直であり続けよ。

人が何かを成し遂げるには、ある時期に気づいたルールをかたくなに守り続けることが必要なようだ。ジョブズもそうだった。17歳の時に「もし毎日、これが最後の日と思って生きるなら、いつかきっと正しい道を進むだろう」という言葉に出会って以来、ずっとそう自問自答して生きた。有名な「Stay hungry, Stay foolish」（倦むことなかれ、愚直であり続けよ）も、若い時から一貫して指針とした言葉だ。

ジョブズの生き方はトータルでは格好よく見えるが、実際には挫折や失敗の連続でもある。にもかかわらず「世界を変えるほどの製品をつくる」ことに情熱を燃やし、休むことなく前進し続けた。「これは僕らの仕事じゃなくて人生だからね」と言っている。仕事を義務や生活の手段ではなく、人生と言い切るには、現状に満足してはいけない。小賢しくてもダメだ。ジョブズは若き日に出会った人生のルールに最後まで忠実であり続けた。

この「Stay hungry, Stay foolish」という言葉は、若き日のジョブズが聖書のように読んでいた雑誌『Whole Earth Catalog』（『全地球カタログ』）最終号の裏表紙に印刷されていたという。同誌は１９６８年創刊。１９７２年の休刊後も臨時復刊のような形で刊行され、１９９８年まで続いた。ただ、実際にはこの言葉は最終号ではなく、１９７４年に発刊された号に掲載されている。

コンピュータに進んだのは、
やっている人がほとんどいない
領域だったからだ。

ジョブズは、スティーブ・ウォズニアックとアップルを創業した１９７６年から10年足らずの間に、アップルⅡ、マッキントッシュという画期的な製品を生み出している。二人のもとに、コンピュータ関係の最良の才能の持ち主たちが集まり始めた。彼らはなぜコンピュータに魅せられたのか。ジョブズはこう話している。

「彼らがコンピュータに進んだのは、あまりに魅力的だったからだ。コンピュータは生まれたて同然で、やっている人が、まだほとんどいない領域だった」

時代に先んじてつくる発想が、ここにもうかがえる。さらにこう続けている。

「創造的な才能の持ち主にとっては、新しい表現媒体だったのさ。だから、コンピュータに注ぎ込まれた気持ちと情熱は、たとえば詩を書くことや絵を描くことに費やされるそれと、まったく区別がつかなかった」

アーティスト（芸術家）の才能を持つ人たちが創造力を注いでつくり上げたものがたまたまパーソナル・コンピュータという製品だっただけのことで、それは彼らの芸術作品なのだというのが、ジョブズのもう一つの発想なのである。

ウォズニアックもこう言っている。

「最高の発明家とか技術者っていうのは、実はアーティストなんだ」

何が起こるかをぴたりと
当てることはできない。
しかし、どこへ向かっているかを
感じることはできる。

ジョブズは、未来を見通す新製品を次々と送り出してきた。

アップルⅡはパソコン時代の幕を開け、マッキントッシュはその後のコンピュータの流れを決めた。MP3プレーヤーの分野にiPodを、スマートフォンの分野にiPhoneを誕生させた。iPadも同様だろう。アップル追放中に買収したピクサーで『トイ・ストーリー』などコンピュータ・グラフィックス（CG）による長編アニメーション映画という分野を確立もした。ジョブズは予言者なのだろうか。こう語っている。

「何が起こるかをぴたりと当てることはできない。しかし、我々がどこへ向かっているかを感じることはできる。それにはけっこうな精度がある」

ゼロックス・パロアルト研究所は、現在のパソコンの祖型を示すなど、コンピュータ・サイエンスに大きな足跡を残した研究所として知られる。ジョブズは、1979年に訪問した時、即座に、これこそコンピュータの未来だと感じ取っている。

「製品化するのに何年かかるとか、業界のどの会社が勝ってどの会社が負けるとかいったことでは異論も出るだろう。だが、頭のある人間なら、いつの日にか、どのコンピュータもこうなるだろうってことには異論を唱えたりしないと思う」

ジョブズによるコンピュータ業界の革命は、まさにここから始まったのだ。

オーケー、誰も助けてくれないなら
自分たちでやるまでだ。

スティーブ・ジョブズは、これはと見込んだプロ中のプロを、一人、また一人と口説いては自分のために仕事をさせるのが得意だった。才能を集めて２００パーセントの出力をさせるという発想だ。

しかし、時にはジョブズの誘いを拒否する者もいる。その一つが、ゼロックス・パロアルト研究所の出身者たちがつくったソフトウェア会社アドビだ。

ジョブズは、自分が創業したアップルを１９８５年に追放されている。だがその後、１９９７年に暫定ＣＥＯ（最高経営責任者）として復活、パソコンの名機マッキントッシュ（マック）を一新したｉＭａｃを成功させ、経営危機に瀕していたアップルを復活へと導いた。その歩みを確実にしようと、ソフトウェアの製作をアドビに依頼したのだが、彼らはそれを拒否したのだ。

拒否されたら、普通は他業者を探すところだが、ジョブズは発想を「自力」に転じた。

「昔からマックを支えてくれていただけに、我々はショックを受けた。でも、それで腹が据わった。『オーケー、誰も助けてくれないなら自分たちでやるまでだ』」

やがて自社製のｉＰｈｏｔｏ、ｉＭｏｖｉｅなどが生まれ、ｉＰｏｄの成功もあり、アップルは新しいデジタル・ライフスタイルの中心的企業へと変身していく。

アップルがやらないと、どこもやらない。
だから僕はここにいるんだ。

アップルに復帰したジョブズが見たのは、自分が不在の10年間余り、何の進歩もしていないマックだった。

ジョブズはこう評した。私が辞めた時にアップルはライバルのマイクロソフトを大きくリードしていたが、その後何十億ドルもの研究開発費をかけても、マックは25パーセントしか変わらなかった、と。

コンピュータ業界自体も、創造をやめてしまったかのようだった。

「３００メガヘルツは２００メガヘルツより優れているとか、６ギガバイトは４ギガバイトより優れているという話ばっかりだ。コンピューティングにはもっといろんなことがあるのに。コンパックとデルはインテルとマイクロソフトから部品をもらい、それを組み合わせてまったく面白みのない箱に入れて出荷する。彼らはコンピュータ・メーカーでさえない」

ジョブズは「本当に素晴らしいコンピュータ」をつくることを目指した。

「世界が少しましなのは、アップルがあるからだ。だから僕はここにいるんだ。誰かがいいコンピュータをつくらないとね。アップルがやらないと、おそらくどこもやらないだろう」

こうしてつくられたｉＭａｃは、１年余りで２００万台を売る大成功を収めた。

数字なんてどこからでも持ってこれるし、どうにでも料理できる。

「画期的な製品や機能を生み出すためには委員会じゃダメ」とは、アップルの共同創業者であり、アップルⅠ、アップルⅡをほとんど独力でつくり上げた天才技術者スティーブ・ウォズニアックの見解だ。

本当に優れた製品をつくりたいのなら、市場調査や委員会に頼るのではなく、信念を持ったリーダーがみんなを引っ張るほうがいい。

マッキントッシュの開発にはジョブズの強いリーダーシップが発揮されたが、価格決定でも同じだった。社内では１９９５ドルという案が大勢だったが、ジョブズは５００ドル安い１４９５ドルにしたらどうかと提案した。

経理部長がグラフを使って、それは無理だと説明を始めると、ジョブズはこう反論した。「数字なんて、どこからでも持ってこれるし、どうにでも料理できる。（グラフの）カーブなんて、まったくたわごとだ。そんなものを信じれば、だまされてしまう」と。

経理の人間が入る特別作業委員会を設けて価格決定の指針をつくるのではダメだ。ジョブズは、経験と勘を活かして望ましい数字を出すことが必要だと考えていた。もっとも、最終的にジョン・スカリーと話し合い、１４９５ドルどころか、２４９５ドルという高価格になり、価格はマックのスタートダッシュ後の売れ行き鈍化に大きな影響を与えた。

また会社を賭けることにしよう。

アメリカには、イチかバチかを尊ぶ文化があるという。１９８４年のクリスマスシーズンに際し、ジョブズと、彼がペプシコーラ事業担当社長からアップルＣＥＯに招いたジョン・スカリーも、そんな勝負に出た。

アップルは、社運を賭けた歴史的なテレビＣＭ「１９８４」の大成功によって、一夜で知名度が上がり、マッキントッシュの販売も順調に伸びていた。そこでスカリーは、次の大勝負を提案した。クリスマスシーズン中に販売攻勢をかけ、四半期だけで10億ドルを売り上げるとしたのだ。アップルが前年１年間に上げた数字を３カ月で達成するというすさまじい数字だった。

だが、問題があった。そのためには１億ドル以上の資金繰りが必要だったのだ。会社が保有する現金の３分の２に相当した。この賭けに、ジョブズは答えた。

「よし、そうしよう。また会社を賭けることにしよう」

結果は惨憺《さんたん》たるものだった。販売代理店は１カ月分以上の在庫を抱えて立ち往生し、アップルは事実上の出荷停止に追い込まれたのだ。

この失敗がなければジョブズのアップル追放はなかったかもしれない。しかし、それがなければｉＭａｃもｉＰｈｏｎｅも『トイ・ストーリー』も生まれていなかっただろう。

最善とは言えない状況でやった仕事に、
一番誇りを感じる。

アップルを去ったジョブズを映画界のトップランナーに押し上げたのは『トイ・ストーリー』だ。ピクサーとディズニーが1991年に契約を結び、その4年後に公開された。アニメ映画の制作には、そのくらいの期間が必要なのだ。

ところが、続編の『トイ・ストーリー2』は、わずか9カ月で制作されている。なぜ、そんなことができたのだろう。

『トイ・ストーリー2』は当初ビデオ用作品として制作されていたが、試写を見たディズニー幹部が感銘を受けて劇場公開を提案し、ジョブズが了承したのだ。

劇場公開には素材の追加などが必要になる。時間不足を心配した共同監督リー・アンクリッチは、ジョブズに公開日延期を申し入れた。すると、こう言われた。

「自分のキャリアを振り返ると、こうした状況、最善とは言えない状況でやった仕事に、一番誇りを感じるんだ」

結果は『トイ・ストーリー』の興行成績を塗り替え、ピクサーは『バグズ・ライフ』を加え、3本の映画を大成功させることとなった。

ジョブズには「待つ」発想はあまりない。「待たずにやる」のが彼の成功法だ。たとえそれが最悪の状況下であっても、前に進むのがジョブズなのだ。

急いでできそこないを発表するよりは、
期日を遅らせる。
しかし、予定を遅らせるつもりはない。

ジョブズにはスピードへの強いこだわりがある。何カ月とか何年という単位ではなく、何週間、何日、何時間という短い単位を好む。そのため製品の開発スケジュールも、現実的にあり得ない設定をすることがあった。

マッキントッシュ開発の主要メンバーであったアンディ・ハーツフェルドがマックチームに加わった時、最初の出荷予定日１９８２年１月まで、残り10カ月しかなかった。「正気じゃない」と言ったが、ジョブズが期日を変更するわけはなかった。

もちろん間に合わず、次の期日は１９８３年５月となった。これも最終的には１９８４年１月まで延びることになるのだが、となると、最初の予定日１９８２年１月とはなんだったのかと言いたくなる。だがジョブズは平気で、思うように進まないプロジェクトを前に、メンバーにこう言い放った。

「急いでできそこないを発表するよりは、期日を遅らせるほうがまだましだ。しかし、予定を遅らせるつもりはない」

ジョブズはスピードに執着し、「何が何でも！」という強行突破の傾向が強いが、半面で「できそこないを発表するつもりはない」というこだわりとのバランスも巧みにとっていたようだ。

海軍に行くなら海賊になったほうがいい。

１９８３年、ジョブズはマックチームの研修会で「ジョブズ会長語録」を披露した。その中の一つがこの言葉である。「海軍」は、当初は宿敵ＩＢＭを指していたが、やがて、官僚化していくアップルの経営陣や、肥大化してしまったマックチーム自身も指すようになる。

一方の「海賊」は、マックチームのコアメンバーを意味している。ジョブズは当初、「リサ」というパソコンで革命を起こそうとして失敗、日陰者だったマックチームに移ったのだ。そのコアメンバーには「ハッカー」としか見えない社内アウトローが多く含まれていた。まさに海賊集団だったのだ。

そんな集団をジョブズは大切にした。マックチームは社内の主導権を握るにつれて海軍化してはいたが、「世界を変えるコンピュータをつくる」という精神を持ち続けた。

ほどなく、チームが陣取るビルの屋上に海賊旗が掲げられた。海賊旗はリサチームに奪い取られたが、マックチームは奪還する。以来、マック完成までの間、はためき続ける。

それは「原動力はベンチャースピリットである」というジョブズの信念を示していた。

ジョブズは、規模が拡大し大企業からの転職組が増えてきたアップルに対し「ＩＢＭのようになってきた。全員、ネクタイを締めている」と憎まれ口をたたいている。大企業になってもベンチャースピリットを大事にしていたジョブズらしいエピソードだ。

アップルが勝つには
マイクロソフトが負けなければ、
という視点を乗り越えなければならない。

ジャーナリストのジェフリー・ヤングは、ジョブズを「彼のすごいところは、弱点を克服するためにはたとえ敵とでさえ組むことだ。敵と組んででも、自分のやりたいことをやり遂げる」と評したが、その典型が、アップルとマイクロソフトとの電撃的な提携だった。

アップルやマックファンにとって、ビル・ゲイツ率いるマイクロソフトは打倒すべき悪の帝国だった。ジョブズ自身、マイクロソフトは独自性がないと罵倒していた。さらにジョブズ追放３年後の１９８８年、アップルは著作権侵害でマイクロソフトを提訴している（１９９５年に敗訴）。

ところが１９９７年、アップルに復帰したジョブズは突然「アップルとマイクロソフトが争う時代は終わった」と提携を発表し、マイクロソフトから投資を引き出して長年の懸案事項も解決した。この発表はウォール街では歓迎されたが、マックファンからはブーイングで迎えられた。しかし、ジョブズは平然とこう言ったという。

「アップルが勝つためには、マイクロソフトが負けなければならないという視点を乗り越えなければならない」

「パソコン市場で二人しかいないプレーヤーが協力し合わないなんて馬鹿げてる」

ビジネスの目的とは勝ち負けではなく、自分たちのやりたいことを成し遂げることだ。

イエスではなくノーと言うことだ。

ジョブズの成功法の一つは、徹底した「選択と集中」である。

企業はどれだけ多様な製品を持っていても、マーケットリーダーと呼ばれるものがなければ市場で優位に立てない。人も同じだ。器用貧乏より、一つのコアコンピタンス（核となる強み）が要求される。競争力のない製品や能力にはこだわらず、強みに集中することである。

ジョブズが復帰した時、アップルにはおよそ40種類もの製品があったが、これという製品はほとんどなかった。これでは勝てないし、利益も生まれない。選択と集中を考えたジョブズは、最終的に四つの製品に絞り込み、組織の徹底的なスリム化を断行、アップル再生への一歩を踏み出した。こう言っている。

「何かに絞り込むということは、イエスではなくノーと言うことだ」

ジョブズは製品開発においてもノーを言う。ｉＭａｃからは当時は常識だったフロッピーディスクドライブがなくなり、代わりにまだ一般的ではなかったＵＳＢを採用した。ｉＰｏｄからは電源ボタンばかりか、ＦＭラジオや音声録音用のハードウェアも取り外された。あとに残ったのは「あつかましいくらいのシンプルさ」だったが、それが大ヒットへとつながることになった。

現状に甘えない

何かを捨てないと前に進めない。

選択と集中は、「楽な仕事じゃない」ものだ。特に、うまくいっている時や、高い評価を得ている時に、それを打ち切るなど、普通の企業はやるはずがない。少しずつ改良し、長く売ろうとするだろう。

　ところがジョブズは、ある時期ｉＰｏｄの中で一番の売れ筋だったｍｉｎｉの生産を打ち切り、薄型の後継モデルｎａｎｏを開発している。

「普通の人なら実に最高じゃないか、ここで失敗したら失うものも大きいのだから、あとは安全にやろう、と思うかもしれない。だが、これは僕らにとって一番危険な落とし穴なんだ。僕らはもっと大胆にチャレンジし続けなきゃいけない。現状に甘えているわけにはいかないんだ」

　ジョブズにおいては、「さらに優れたものをつくりたい」という革新的な思いは、安定願望をも上回るのである。基本ソフト「ＯＳＸ《テン》」の時も、伝統的なスタイルを捨て、「マックからよけいな部分をそぎ落として、デザインを一からやり直す」という決断を下している。ジョブズは言う。

「後戻りできない状況に自分を追い込むんだ。そうすればもうやるしかない」

「何かを捨てないと前に進めない」

絶対に真似のできない、
真似しようとすら思わないレベルの
革新を続ける。

ジョブズが復帰した当時、アップルに生き残る道があるとすれば、「製品まるごとを開発する」やり方を捨てることしかないと見られていた。実際、スティーブ・ウォズニアックも「アップルは今後、ハード部門を捨て、ソフト専業で生きるべきだ」と進言している。

だが、ジョブズは「僕たちの天命は、そこにはない」と断固拒否し、では、どうアップルを救うのかと問われ、こう答えている。

「他社には絶対に真似のできない（そして真似しようとすら思わない）レベルの革新を続ける」

周囲は、ハードとソフトの両方を抱えることを弱みと見た。だがジョブズは、ハード、ソフト、マーケティングを総結集して戦える強みだと考えたのである。

そして、マッキントッシュが持っているものをすべて出し切り、かつ次に世界を変えるものに取りかかる。そうすれば誰もついてはこられない。そう考えたのだ。

そしてその通り、ジョブズはｉＭａｃを大ヒットさせた。そして、ライバルの誰も考えなかったｉＰｏｄなどの製品によって栄光への道を上っていく。

情熱がたっぷりなければ
生き残ることはできない。

スティーブ・ジョブズを際立たせるのは、情熱の火柱が太いことだと思う。

ジョブズの情熱は、周囲に集めた優秀な人材を燃え上がらせ、能力以上の力を発揮させた。「宇宙に衝撃を与えるほどのものをつくる」ことには多くの困難がともなう。それを克服できたのも情熱あってこそだ。

ジョブズは、長い年月を要するプロジェクトでとりわけ大切なのは情熱だということもよく知っていた。「情熱がたっぷりなければ生き残ることはできない。それがないと人はあきらめてしまう。だから情熱を傾けられるアイデアや問題を持っていなければならない。正したいと思う誤りでもよい。さもないと、こだわり続けるだけの忍耐力が持てない。我慢さえできれば、うまくいったも同然なのだ」と言っている。

たとえばアニメーションの制作には何年もかかる。アニメーターにとって、先が見えないまま来る年も来る年も働くことは苦痛である。そこに、「プロジェクトは成功する」「君たちのやっていることは素晴らしいことだ」と鼓舞する言葉があれば情熱が湧き、疲れ知らずで制作に没頭できるのだ。

ジョブズは、そんなふうに、情熱にはっきりとした形を与えることで、人を動かしてきた。同時に、自分の生涯を充実させていったのである。

僕はナンバーワンになりたい。

1977年に株式会社となったアップルの初代社長に就任したのは、マイク・スコットだった。アップルにはウォズニアックの他にもう一人、二人よりも年長のマイク・マークラという資産家の共同創業者がいたのだが、スコットはそのマークラの元同僚で、ナショナル・セミコンダクター社から移ってきた人物だ。

スコットの給料は、ジョブズ、ウォズニアック、マークラより1ドル多い2万1ドル。だが、権限は共同創業者である三人のほうが大きかった。このねじれと、性格的な違いのため、スコットとジョブズは、重要なことからどうでもいいことまで、ことあるごとに衝突を繰り返すこととなった。それは「スコッティ・ウォーズ」と呼ばれるほどだった。

象徴的なのが社員用バッジの番号だ。

スコットはウォズニアックに「一番」を、ジョブズに「二番」を用意した。だが、ジョブズはこう提案してきた。「僕はナンバーワンになりたい。僕がゼロ番になれないかい？そうすれば、ウォズは一番になれる。僕はゼロ番がいい」と。

何とも子供じみたエピソードではある。若き日のジョブズの自負心の強さをうかがわせるが、それが成功の原動力になったということもまた、紛れもない事実である。

我々の値打ちは次回作で決まる。

偉業をなし遂げた人間には二つの道がある。成功に満足して、その後の人生を安らかに生きるか、さらなる成功を求めて、挑戦を続けるかだ。

ジョブズは典型的な後者だった。アップルⅡの成功によってアップルを上場させたあと、マッキントッシュを完成させた。これだけでも十分な成功であるにもかかわらず、ネクストやピクサーを立ち上げ、アップルに復帰してからもｉＭａｃ以降、ｉＰｏｄ、ｉＰｈｏｎｅ、ｉＰａｄと立て続けに世界的ヒットを生み出し続けている。

こうした成功追求者ぶりがよくわかるのが、『バグズ・ライフ』の公開が近づいてきた頃のジョブズの次の言葉だ。

「ウォルト・ディズニーは、いつもこう言っていた。『我々の値打ちは次回作で決まる』とね。だからピクサー、そしてアップルでは、腰を下ろして休むことは絶対にすすめられない。常に次のことを考え続けなければいけないんだ」

もしピクサーの成功がなければ、ジョブズは若くして成功したきり消えた人になっただろうし、もしピクサーが『トイ・ストーリー』のみで終わったなら、ただの一発屋と称されただろう。もちろんいずれも素晴らしい偉業なのだが、ジョブズはいつも成功に満足せず、常に次を追い求めることで偉大な人生を送った。

▼ジョブズが手がけた作品たち②
マッキントッシュ

1984年にジョブズが行った初代マッキントッシュ（マック）のプレゼンテーションは、もはや伝説だ。

ジョブズはこう口火を切った。

「今のところ歴史に名を残すパソコンは二つしかありません。一つは1977年発表のアップルⅡ、もう一つは1981年発表のIBM PC。今日、僕たちは歴史に名を残す三つ目のパソコンを発表します。それがマッキントッシュです。僕らはこの2年間、マックの開発に取り組んできました。その成果は……メチャクチャすごい！」

そして、すべてはあそこに入っているとステージのバッグを指さし、中からマックを取り出した。机に置かれたマックに、ジョブズはフロッピーディスクを挿入した。

ステージは暗転している。闇を背景に、マックの文字が浮かび上がる。音楽は、映画『炎のランナー』の流麗なメロディ。やがてマックがこう語り出した。

「はじめまして。僕、マッキントッシュです。バッグの中から出られて本当にうれしいです。人前で話すことは慣れてはいませんが、IBMのメインフレームを初めて見た時に思った格言を皆さんに披露したいと思います。『手で持ち上げられないコンピュータを信用することなかれ』です」

第 2 章

ジョブズ「ヒットの秘密」を語る

みんなのために
優れた製品でないと思ったら、
それにはさわらない。

スティーブ・ジョブズは、１９７７年にヒットしたパソコン「アップルⅡ」に始まり、１９８４年発売のパソコンの名機「マッキントッシュ（マック）」や、２０００年代に入ってからのｉＰｏｄ、ｉＰａｄなどたくさんのヒット製品を手がけているが、手がけなかった製品も実は非常に多い。アップルのラボ（研究所）には、日の目を見なかったプロトタイプ（試作品）がゴロゴロしているという。

たとえばＰＤＡ（携帯情報端末）がそうだ。

２０００年代初め、「他社がやっている」「売れている」などの理由から、ＰＤＡをやるべきだという声が、アップルの内外で非常に高かった。だが、ジョブズはＰＤＡの時代は終わったとして、スマートフォンであるｉＰｈｏｎｅに力を入れている。

２０１０年には、こう言っている。「アップルはみんなのために、『優れた』製品をつくろうとしている。優れていないと思ったら、それにはさわらない勇気と信念がある。それが、多くのお客が買ってくれる理由」だと。

そして、手がけたことと同じくらい、手がけなかったことを誇りにしているとも語っている。ジョブズは、自分が見込んだ製品以外は「手がけない」ことで、ヒット製品を「手がけてきた」といえる。

「究極のシンプルさ」を実現する

3回以上もボタンを押させるな。

ジョブズのヒット製品はどれも、美しいくらいにシンプルである。だが、シンプルさを実現するために、ジョブズは複雑な要求を何度も現場に突きつける。

ｉＰｏｄのソフトウェア開発を担当した会社ピクソーに対してもそうだった。社員の大半は元アップル社員。ｉＰｏｄの全容も明かされず、ジョブズと直接話すこともなかったが、プロジェクトが始まってすぐ、ジョブズが深く関わっていることがわかったという。

理由は、ビルド（開発中に一部分の機能を利用可能にしたもの）を金曜日にほしがり、月曜日にたくさんの修正点を指摘してくるからだった。

一般の会社なら、テストできる平日にほしがる。だが、ジョブズは金曜日にビルドを受け取り、週末に自宅でテストして、週明けに修正点を指摘するのだ。

要求は細かい。「曲を選択するまでに3回以上もボタンを押させるな」「音質にシャープさが足りない」「メニュー表示が遅すぎる」など山ほどの修正が繰り返された。「電源ボタンはいらない」といった難題もあった。

ジョブズは絶対に妥協しない。ピクソーの社員はそれをよく知っていたから、必死で応えた。限られた時間の中での大変な作業だったが、ジョブズの非妥協的な要求が、ｉＰｏｄを他社製品をはるかにしのぐものへと磨き上げていくのだ。

優れた大工は
キャビネットの裏に使うからといって、
質の悪い木を使ったりしない。

アップルⅡを開発していた時、ジョブズはプリント基板のラインはすべて完璧に真っすぐでなければならないと考えていた。理由はマシンの蓋を開けた時、美しく見える必要があったからだ。完璧を執拗《しつよう》に求めるジョブズに担当者は悩まされ、時には怒り狂ったが、こうしたこだわりのお陰で、アップルⅡのボードはきわめてつくりやすく、かつ不良率の少ないものとなった。

マッキントッシュの時も同様だった。バレル・スミスがつくったプリント基板のレイアウトを見たジョブズは、ある部分は「本当に美しい」と讃えたが、ある部分に関しては、「見苦しい」と文句をつけた。その言葉に、新入社員がかみついた。大事なのはうまく動作するかどうかであり、誰もプリント基板なんて見ないというわけだ。

ジョブズはこう反論した。「俺が見るんだよ。俺は、たとえ箱の中に入っているものでも、可能な限り美しくあってほしいんだ。優れた大工はキャビネットの裏に使うからといって、質の悪い木を使ったりしないものさ」と。

ジョブズが生み出した多くのヒット製品は、その発想力のたまものと思われがちだが、一方でこうした細部へのこだわりがあったからこそ、アップルには多くのファンが生まれたという側面も、決して見逃してはならないだろう。

60年後にはマックも過去の遺物だろう。
だが60年後にも、
人は『トイ・ストーリー』を
楽しんでくれるのではないか。

アップルを追放された翌年の１９８６年、ジョブズは映画監督ジョージ・ルーカスからピクサーを買い取り、ＣＥＯ（最高経営責任者）となる。ピクサーは、しばらくはジョブズの個人資産を食いつぶすだけだったが、やがて世界的ヒットを連発するようになる。『トイ・ストーリー』『バグズ・ライフ』などだ。

ヒットの功績は、ジョブズの買収前からピクサーを運営していたＣＧ（コンピュータ・グラフィックス）の功労者エド・キャットムルや、天才ＣＧ映画監督ジョン・ラセターの力による。だが、シリコンバレーから畑違いのハリウッドに来て投資を惜しまなかったジョブズの力も、それに劣らず大きかった。

ジョブズはこう決心している。「作品をアメリカ文化の一部として定着させたいんだ。60年後には、マックも過去の遺物だろう。だが60年後にも、人は『トイ・ストーリー』を楽しんでくれるのではないか。私たちはそれに賭けている」と。

それは大きな転換点だった。

ジョブズは、パソコンは人類最高の発明品の一つであり、常にデジタル革命の中心にあるという信念を持っていた。それが変わったのだ。パソコンは永遠ではなく、あらゆる工業製品に寿命があるように、やがて終わりの時を迎えるようになっていく。

インターネットは驚異的だが
感動を呼び起こすことはない。
感動的なことをコンピュータで
実現したいのだ。

ジョブズは若い頃、曹洞宗の僧侶・乙川弘文を通じて、禅に深く傾倒した。1991年にローリーン・パウエルと結婚した時にも乙川に式の司会を任せたほどだから、禅の影響は小さくない。

だからだろうか。ジョブズはいつも「心」を非常に重視した。そういう目で見ると、彼の手がけたヒット製品もコンピュータと人の心をつなぐものばかりだ。

ジョブズはインターネットの可能性を早くから理解し、斬新な色とデザインで大ヒットしたiMacでも、面倒な設定なしにインターネットとつながる工夫をしている。だが、一方で、インターネットの限界を「インターネットは確かに驚異的だが、感動を呼び起こすことはない」と指摘していた。

感動を呼び起こす製品がiPodであり、インターネットを通じて音楽を購入できる画期的なサービスiTunesだった。

ジョブズは、2004年には、将来は誰もがiPodみたいな機械で音楽を聴くようになることが確実だと断言している。そうなれば、曲はオンラインの音楽ストアから買えばよくなる。インターネットはデータを運ぶだけでなく、音楽による感動をユーザーの心に運ぶ役を担うことになったのだ。

蛇口をひねればいくらでも
タダの水が出てくるけど、
みんなお金を出してミネラルウォーターを
買っている。

ジョブズのヒット製品は、しばしば新しいビジネスモデルに結びついている。

ｉＴｕｎｅｓミュージックストア（ｉＴＭＳ）がそうだ。

インターネットは非常に便利な一方で、著作権侵害という問題も生み出した。才能と時間とお金をかけてつくった貴重なコンテンツ（当時は音楽）が、音楽ファイルの違法交換などで、タダで使われてしまう。音楽業界の人間にはたまったものではない。違法行為に対抗し、権利を守ることばかりに目が行くのも仕方がなかった。

その目を転じさせたのがジョブズだった。インターネットを通じてユーザーに楽しみを提供し、音楽業界も相応の利益を得るための方法を真剣に提案したのだ。

ユーザーにとっても、楽曲を幅広くそろえるインターネットストアができることは念願であり、実現できればユーザー、音楽業界の双方に新しいビジネスモデルができる。

問題は、タダで手に入れることに慣れたユーザーがお金を払って購入するかだ。だが、ジョブズはこう言った。「水道の蛇口をひねればいくらでもタダの水が出てくるけど、みんなちゃんとお金を出してミネラルウォーターを買っているじゃないか」と。

優れたサービス（ｉＴＭＳ）をつくれば、人はちゃんとお金を払うというのがジョブズの確信だった。そして、現実はジョブズの言葉通りになっていく。

どの車も移動という意味では
やることは同じだ。
でも多くの人がＢＭＷに高いお金を払う。

ジョブズのヒット製品は革新性で勝負するから、価格競争に巻き込まれることはほとんどない。だが、ジョブズ追放後のアップルは、ビジネス市場でたくさんのコンピュータを売ることばかり追求していた。マッキントッシュは確かにクールだが、マックファンが買うのは一人一台だ。企業に、一度に何十台、何百台もまとめ買いしてもらうほうがよほど効率がいいと考えたのだ。

革新性のない会社なら、そう考えるしかないだろう。しかし、そこで求められるのは、クールさではなく、安さになる。

1997年、暫定CEOとしてアップルに復帰したジョブズは、ビジネス市場への参入を全否定した。アップルの原点は個人向けにある。個人でもビジネス市場でも見境なく売りまくるデルやコンパックではないのだ。

多少高くても買いたくなる製品をつくることこそがアップルの強みだった。「どの車もA地点からB地点への移動という意味ではやることは同じだ。でも多くの人が、シボレーよりもBMWに高いお金を払う」とジョブズは言っている。

価格勝負では、売れても利益が思うように上がらないという「利益なき繁忙」に陥りやすく、革新的な製品を生み出すことがますますできなくなってしまうのだ。

「できるわけがない」で大幅に改悪される。
「つくれやしない」でまた大幅に改悪。
こうしてわざわざ敗北を引き寄せる。

アップルのヒット製品は、ジョブズの「独裁」のたまものともいえる。

製品には、大勢の意見を取り入れていくうちに革新性を失うという特徴がある。あれを削られ、これをくっつけられ、無難で面白味のないものになってしまうのだ。

ジョブズはそれをこのように表現している。「ちゃんとできていたのに！　勝利目前でわざわざ敗北を引き寄せるなんて！　何があったのかというと、デザイナーたちがこの素晴らしいアイデアを思いついた。そこでエンジニアのところへ持っていくと、『だめだ。できるわけがない』。で、大幅に改悪される。次に製造部門へ持っていくと、『つくれやしない！』。で、また大幅に改悪されるという寸法だ」と。

みんなが賛成するアイデアにろくなものはなく、むしろ少数の人が賛成し、あとは反対するくらいのほうがヒットにつながりやすい。

もちろん製品開発には大勢の人や部門が関わる。だが、ジョブズはＡからＢ、ＢからＣへとバケツリレーのように送られるやり方を排除する。リレーではなく、行ったり来たりを繰り返す中で、本当にいいものをつくり上げる。

デザイナーは、プランを出したらモデルをつくり、製造部門と十分な意見交換を行う。そこから「無理だ」ではなく、「ではどうすれば」という態勢が生まれてくる。

宣伝の力と限界

どれだけ宣伝を打ったところで、失敗作をヒット作に変えることはできない。

ジョブズほど宣伝の力を信じている人間はいない。アップル創業当時、資金不足にもかかわらず、一流広告代理店のレジス・マッケンナ・エージェンシーに広告を依頼している。マッキントッシュのヒットは伝説のＣＭ「１９８４」の放映がきっかけだった。

ペプシコーラで、ＣＭにマイケル・ジャクソンを起用するなど独創的な広告によってコカ・コーラを追い抜いたジョン・スカリーをヘッドハンティングしたのも、彼の力で強力な宣伝戦略を進めたかったからだ。

しかし、ジョブズは宣伝至上主義者ではない。最高品質の製品をつくるのだから、最高の広告を求めただけで、その逆はなかった。

実際、ピクサーとディズニーが契約でもめた時、ジョブズは「どれだけ宣伝を打ったところで、失敗作をヒット作に変えることはできない」と強烈な一撃を放っている。

ディズニーの宣伝力をもってしても『ブラザー・ベア』などの作品をヒットさせられなかった。一方、ピクサーの『ファインディング・ニモ』はディズニーＣＥＯマイケル・アイズナーが酷評したにもかかわらず世界的に大ヒットした。

理由は作品の質の違いにある。ジョブズにとって、できそこないの製品などＰＲする価値はなかった。

ユーザーは、どんな大革命が起きるかまでは教えてくれない。

スティーブ・ジョブズは、自分のビジョンを信じる。非妥協的に信じて突き進む。そうやって数々のヒット作を生み出してきた。だが、人の発言を封じる独裁者では決してない。意見は十分に聞くのだ。ただし胸にとどめる。

また、一人で進むわけでもない。本当に技術をわかっている人たちを集めて切《せっ》磋《さ》琢《たく》磨《ま》しながら進む。それをジョブズは「Ａクラスの人材だけでＡクラスのチームをつくること」と表現し、重視していた。

一般的には、ユーザーは神様だろう。「困った時にはユーザーに聞け」というのは製品開発の鉄則の一つだ。そこから生まれた新製品もたくさんある。

だが、ユーザーは万能の神様ではない。ジョブズがユーザーの声を胸にとどめず、その声の実現に取り組むタイプだったら、ｉＰｈｏｎｅもｉＰａｄも生まれなかった。

「ユーザーの言葉に耳を傾けるというのは大事なことだ。でもユーザーはこのコンピュータ業界全体をひっくり返してしまうような、どんなすごい大革命が来年に起きるかといったことまでは教えてくれない。だから、そこのところを十分に心得た上で、話を聞かなくてはならない」と言っている。

自分は革命を起こす。そう決めているから、人の声に右往左往しないのだ。

何をほしいかなんて、
それを見せられるまでわからない。

ジョブズは技術者でもデザイナーでもない。しかし、ベクトルを指し示す能力は群を抜いている。その能力は「自分がほしいものをつくればいい」という発想に支えられている。

だから、フィールドテストやマーケットテストなどの事前調査をせず、自分の直感とマーケティング感覚で製品開発を進める。

それを評して、アップルの古参社員でマーケティング担当役員も務めたマイク・マレーは「スティーブは、毎朝、鏡に映った自分を見て市場調査をしていた」と言っている。初期のマッキントッシュが製品として優秀でも市場で失敗したのは「そのせいだ」が、ｉＭａｃやｉＰｏｄが成功したのは「そのおかげだ」と言われる。

世界にまだないものをつくることを重んじるジョブズは、新製品開発段階での市場調査はさほど重視しない。ｉＰｏｄに関しても、業界トレンドなどを注意深くウォッチしていると断った上で、こう言っている。

「これだけ込み入った製品の場合、フォーカスグループをもとに設計するのはとても難しい。自分が何をほしいかなんて、それを見せられるまでわからないことが多いものだ」

ベルは、電話を発明する前に市場調査などしたか？

マッキントッシュは優れた製品だが、一方で容量不足とか、機能の拡張性に疑問があるといったマイナスの評価も少なくなかった。きちんと市場調査をして開発したのかという声が上がったが、ジョブズはこう切り返した。

「グラハム・ベルは、電話を発明する前に市場調査などしましたか？」

今ある製品について市場調査をするのはいいが、世の中にほとんど出回っていないものや、見たこともないようなものについて市場調査をするのは無意味だ。卓上計算機しか使ったことがない人に、マッキントッシュがどういうものか、どんな機能を望むかと聞いたとしても、的確な答えなど得られるはずがない。斬新な製品の場合、とにかくつくって、見せて、結果を尋ねることが優先されるのだ。

新製品の開発では市場調査が重視されがちだが、そこから生まれるのは「今よりちょっといいもの」であっても、「ものすごくいいもの」ではない。ジョブズは自分を信じることで、世界に衝撃を与えるものをつくり続けた。

ジョブズはフォード創業者ヘンリー・フォードを尊敬していたが、もし、まだ自動車が夢のまた夢だった時代に、「乗り物に何を望むか」と市場調査をすれば、「もっと速い馬がほしい」といった答えが返ってきたに違いないだろう。

マッキントッシュは僕の内部にある。

ジョブズが尊敬する発明家の一人にポラロイドを開発したエドウィン・ランドがいる。ランドはジョブズに、ポラロイドカメラがどういうものか、自分にはわかっていたと言った。それは非常にリアルなイメージだった。まるで開発する前からあったみたいだという。

話を聞いたジョブズは、我が意を得たように強くうなずいた。マッキントッシュの場合もまったく同じ経験をしていたからだ。よく言われることだが、ジョブズは設計図の線を1本も引かず、ソフトウェア1行すら書かなかった。しかし、マッキントッシュは紛れもなくジョブズの作品だった。

「マッキントッシュは僕の内部にあり、僕はそれを引き出して製品に変えなければならないんだ」とジョブズは語っている。

どんな機能を盛り込むかはゼロックスのパロアルト研究所を見たことで決まっていた。どんな大きさにするかも見えている。そして、最初のマッキントッシュをつくっている時点で、バッグから日記のようなものを出して、マックⅠ、マックⅡでは無理だが、マックⅢはきっとこんな型になると力強く断言している。

ジョブズには確かにマッキントッシュのあるべき姿、そして将来、目指すべき姿までもが見えていたのだ。

ジョブズのデザイン観①

本当にいいものをデザインするためには、その機能がわかっていなければならない。

ジョブズはデザインに対して、並々ならぬこだわりを持っていた。そして、本当にいいデザインのためには、その機能がわかっていなければならないと考えていた。それが一体何かということを、本当に心の底から理解していなければならないのだ。

ジョブズは、マイクロソフトがマックを模倣するのに「10年もかかった」理由の一つは、マックの本質を理解していなかったからだと考えている。

本質を理解しないからこそ、カラフルなｉＭａｃを見て、「安物のコンピュータに色を塗れば……」などと頓珍漢《とんちんかん》な発想をしてしまうのだ。事実、ビル・ゲイツはｉＭａｃについて、「言ってみればカラー革命だ」と言ったという。

「できあがった製品を見れば、その会社の価値観や優先順位がわかる」とは、アップルの多くのヒット製品のデザインを担当したジョナサン・アイブの言葉だが、確かに製品ほど企業の考え方や価値観を如実に表すものはない。

ジョブズにとってデザインとは、まさに企業の価値観を反映したものであった。だからデザインは製品づくりの最初からスタートする必要があった。

ジョブズはこうも言う。「デザインとはものの見え方だと考える人もいる。だが、もっと掘り下げて考えてみれば、デザインとは実は機能を意味していることがわかってくる」

ジョブズのデザイン観②

スクリーンには、思わずなめたくなるような美しいボタンを配した。

ジョブズは美しさから最も遠いところにあるはずのＯＳにさえ「美しさ」を求めた。

アップルは、ネクストのＯＳネクストステップをベースにマックの新しいＯＳをつくろうとした。そのためにネクストを買収し、ネクストＣＥＯのジョブズもアップルに復帰することとなった。復帰したジョブズは、マックのＯＳチームを呼び出し、「この大バカどもが」とののしったあと、インターフェースについて「全部だめだ」と断定した。

責任者のコーデル・ラツラフはクビを覚悟した。だが、やがて話はどのように手直しするかに移る。ラツラフがモックアップ（実物大模型）を示すと、「プロトタイプ（試作品）にしてくれ」と指示された。

チームは3週間、猛烈に働いて完成させた。ジョブズはそれを賞賛し、マックの新ＯＳであるＯＳＸがスタートした。重視したのはユーザー・インターフェースの要素を絞り込むことで、使いやすく美しいものに仕上げることだった。そしてそれは極秘扱いだった。

２０００年1月、ジョブズは「ＯＳＸ」を発表した。新しいユーザー・インターフェースの名は「アクア」。デザインの目標は「美しすぎて思わずなめたくなるようにすること」だった。「歴史上最も美しいユーザー・インターフェース」がＯＳＸだった。その努力はやがて、ｉＰｈｏｎｅとして結実することになる。

競合他社をどう見ていたか

僕にはライバルはいない。

２００１年、シリコンバレーの中心都市サンノゼのコンベンションセンター内の会議室で、ジョブズは曽我弘に「今日中に話を決めたい」と切り出した。

曽我は新日鐵勤務を経てシリコンバレーに移住、会社を興してＤＶＤ編集ソフトを開発した人物だ。ソフトはディズニーに採用され、ハリウッドの業界標準ともなった。だが、ライバルから訴訟を起こされたのを機に会社の売却を決意する。

まず日本企業に打診したが断られ、打診があったアドビやマイクロソフトへの売却も考えていたところにアップルから話が来たのだった。

ジョブズは会議室でてきぱきと話を進め、わずか1時間で合意に達した。訴訟についても「ケンカは引き受ける」のひと言で片づけた。また、他社とも交渉中だからと言うと、ジョブズはどこと交渉しているのかと聞き、曽我が「あなたのライバルだ」と答えると、ジョブズは「ライバル？　僕にはライバルはいないよ」と応じたという。

ジョブズはライバル企業がどんな製品を出すかなど気にはとめない。本当に優れた製品を出して、ライバルが追いつけないほどの革新を行う。

それがジョブズのやり方だ。

そんな自負が強く感じられるひと言だ。

誰のためでもない、
自分自身のためにつくったんだ。

ジョブズが手がけた製品はとても使いやすいが、それ以上に、なぜかいつも身近に置いていたくなるような魅力がある。そんな魅力の源泉は、ジョブズが製品を「商品」ではなく「芸術品」としてつくったことだ。

商品でなくなれば、とにかく大量に売ろうとか、ライバルに勝とうとかいう考えはなくなる。そして、役に立ちたい、美しくしたいという情熱に動かされるようになる。

やがては、自分自身が使いたくなり、所有したくなり、美しさに舌なめずりするほどのものをつくりたいと思うようになる。

それがジョブズの「最高の製品をつくりたい」という言葉の中身なのだ。

マッキントッシュを世に出した当時、ジョブズはこう言っている。「ものすごく大勢の人がマックを買うだろうと思うけど、僕らはそれを誰のためでもない、自分自身のためにつくったんだ」と。開発に携わったアンディ・ハーツフェルドも同調した。「マッキントッシュは僕自身がほしい製品です。これは僕の親友たちには、たとえパソコンを買うだけの金銭的な余裕がなくても、ぜひ手に入れてもらいたい製品です」と。

「お金のため」から「人のため」、そして「自分自身のため」と、モチベーションを変化させるのが、ジョブズの情熱だった。

▼ジョブズが手がけた作品たち③
iMac

1998年リリースのiMacは、ジョブズ復活とアップル躍進のシンボルで、マックへの原点回帰でもあった。

だが、デザインと性能は大胆に改変されていた。とりわけ、特徴的な半透明のトランスルーセント（スケルトン）のデザインは、工業デザインに多大な影響を与えた。そして、世界中の商品にスケルトンブームを巻き起こした。

ジョブズが目指した原点回帰は、単なるマックへの復古ではなかったのだ。常に時代の先端を行くためのイノベーションであった。この革新的成功によって、アップルは市場を爆発的に広げていく。

iMacをきっかけにジョブズの新たなパートナーとして頭角を現わしたのが、デザイナーとして初めて上級副社長になったジョナサン・アイブだった。

かつてアイブは復帰したジョブズに突然呼び出され、クビの宣告かと辞表をポケットに忍ばせて部屋をノックしたという。

だがそれはクビの宣告ではなく、デザインを任せるという信任の幕開けだった。

ちなみに、かつてのアップルのロゴマークはレインボーカラーだった。ジョブズが執着したこの色を、現在のモノトーンに変えたのも、アイブだった。

第 3 章

ジョブズ「イノベーション」を語る

美女にライバルがバラを10本贈ったら、
君は15本贈るかい？
そう思った時点で君の負けだ。

ジョブズは改善ではなく、イノベーションを重視する。

改善は、ものづくりの現場ではきわめて有効だ。しかし、発想のレベルでは、何かと比べて「よくなった」という改善では、大仕事はできない。根本的な転換が必要だ。

だから、ジョブズの頭にはライバルの動きなどまるでない。一般的にはライバルの動きを気にし、少しでも先を行こうと考えるが、それはジョブズの生き方ではない。

マッキントッシュの開発当時がそうだった。周囲の動向よりも、芸術的な価値観によって動いていた。超越的に輝く偉大な製品を目指していた。

ｉＭａｃの開発当時も同様だ。「美しい女性を口説こうと思った時、ライバルの男がバラの花を10本贈ったら、君は15本贈るかい？　そう思った時点で君の負けだ。その女性が本当に何を望んでいるのか、見きわめることが重要なんだ」と語っている。

大切なのはライバルより「ちょっといいもの」をつくることではない。世の中が思いもつかない「圧倒的にすごいもの」をつくることなのだ。

ライバルを見てバラの本数を増やすのは、普通は悪いことではない。しかし、ジョブズにとっては悪なのだ。ライバルに関係なく、月世界旅行に彼女を誘う。少なくともそういう夢を抱かせる。それがジョブズである。

イノベーションの出どころは、夜の10時半に新しいアイデアが浮かんだからと電話をし合ったりする社員たちだ。

アップルのイノベーションはどこで生まれるのか。こう答えている。

「イノベーションの出どころは廊下で出くわしたり、夜の10時半に新しいアイデアが浮かんだからと電話をし合ったりする社員たちだ。あるいは問題へのアプローチ方法にまずいところを見つけたから、という場合もある」

ジョブズ自身、1日中いろいろなチームと会議を開いてアイデアを練り、問題解決にあたっている。みんながアイデアを思いつき、議論し合う風土。イノベーションはそんな風土から生まれる。

ジョブズ不在時のアップルは、ジョブズがつくったマッキントッシュを少しずつ改良しては売るばかりだった。

だが、ジョブズ復帰後のアップルは、それまでにあったＭＰ３プレーヤーや携帯電話を、一瞬にして過去の遺物にしてしまうほどの革新性を発揮するようになった。

それは、人の頻繁な交流から始まるのだ。

多くの企業がイノベーションを夢見ながら一向に果たせずにいるのは、「イノベーション実現の五カ条」といったものを策定して壁に貼り出すことで満足するからだ。イノベーションは、体系ではない。人の動きなのだ。

研究開発費の多い少ないなど、イノベーションと関係はない。

イノベーションができない理由としてしばしば挙げられるのが、人材不足と、研究開発費不足だ。しかし、ある程度の人と資金は不可欠にしても、人と資金さえ豊富ならイノベーションが起こせるというものでもない。むしろ、ないないづくしのベンチャー企業から優れた製品やサービスが生まれ、大企業がその後追いをするケースが少なくないのだ。

ＩＢＭは、パソコン市場に参入した時、マックの開発費の１００倍に及ぶ研究開発費を投じていたといわれる。だが、パソコンの世界にイノベーションを起こしたのはマックのほうだった。

また、ジョブズ復帰後の数年間、アップルは優れた製品を次々と発表してはいたが、その研究開発費は、マイクロソフトと比べてはるかに少なかった。アップルの研究開発費が２００４年で5億ドル弱だったのに対し、マイクロソフトは10倍の研究開発費を使い、２００６年には60億ドル、２００７年には75億ドルにまで増やしている。

しかし、その間、アップルをしのぐほどの革新的な製品を生み出せただろうか。

ジョブズはこう話している。

「研究開発費の多い少ないなど、イノベーションと関係はない」

お金で買えないものの中に、イノベーションを起こす秘密が隠されている。

いくらかかるかなんて、どうでもいい。

ジョブズ不在時代の１９９３年にアップルから発売されたＰＤＡの「ニュートン」は、先進的で、ファンもそれなりについたが、利益にはつながらなかった。

アップルに復帰したジョブズは、ニュートンを打ち切ろうとした。売却して、これまでかかった開発費を回収しようとさえしない。完全な抹殺である。

当時まだＣＥＯだったギル・アメリオにそう提案すると、アメリオは、「そんなことをしたら、いくらかかると思いますか」と反論した。

ジョブズはこう言い切った。「そんなことは問題じゃありません。いくらかかるかなんて、どうでもいい。もし捨てたら、世間は拍手するでしょう」と。

やがてジョブズは暫定ＣＥＯとなり、この言葉を実行した。すべての資源をマックに集中するためには、不要なものは捨てなければならないという理由からだ。

ジョブズがあまりに多くのものを捨てすぎることへの批判はあった。一部の熱狂的なニュートンファンからの反発も強かった。だが、そうした声はアップルの好調な業績の前に打ち消されることとなった。

材木よりも１本の矢を大切にする。過去のいきさつなど関係なしに、不要なものを捨て去り、本当に武器となるものに集中する。それがジョブズの革新だった。

マイクロソフトがどれほど
儲けようと勝手だが、
三流の製品しかつくらない事実だけは
我慢できない。

ジョブズとビル・ゲイツは、ともに１９５５年生まれ。印象も経営方針も正反対だが、プライベートでは親しく、手腕も認め合う仲だ。

ゼロックスのパロアルト研究所で未来のパソコンを思い描くことができたのはジョブズだけではなかった。ゲイツもまたここでＭＳ－ＤＯＳの限界を悟り、視覚的な操作ができるＧＵＩを採用したウィンドウズの開発に乗り出している。

それだけに、批判もあけすけだ。アップルに復帰したジョブズは、マイクロソフトと歴史的な和解を結んだが、業務提携後も、以前と変わらない調子で「（マイクロソフトの趣味の悪さについては）小声ですますつもりはない。マイクロソフトはオリジナルなアイデアに欠け、その製品に文化というものをまったく感じさせない」「マイクロソフトが成功の果実からどれほど儲けを手にしようと勝手だが、あそこが三流の製品しかつくらないという事実だけは我慢できない」などと発言している。

こんな発言をテレビでされてしまうのだから、ゲイツもたまらない。番組の放送後、さすがにジョブズは電話をしてゲイツに謝罪を申し入れた。

「ビルにはこう言った。『口にした言葉にはひと言として嘘はない。ただ、テレビで言うべきじゃなかった』。ビルのことは心配しているんだ」

模倣するほうが楽かもしれない。
でもそんなことをしても
世界はよくならない。

ジョブズは模倣を極端に嫌う。そんなジョブズが買収したピクサーの『バグズ・ライフ』は、アイデアをライバルに盗用されるという危機を経験している。

『バグズ・ライフ』を発案したジョン・ラセターは、元はディズニー社員だった。その頃にディズニーの映画プロデューサー、ジェフリー・カッツェンバーグを訪ねた時、『バグズ・ライフ』のアイデアを気軽に口にした。信頼の証だった。

ところが、カッツェンバーグはそのアイデアを拝借、スティーブン・スピルバーグと共同設立したドリームワークスを使って、類似のアニメ『アンツ』を制作してしまうのだ。しかも、『バグズ・ライフ』よりも先に公開するという卑怯な手に打って出た。

カッツェンバーグのやり方をジョブズはこう評した。

「本当にがっかりする。もちろん、彼らはお粗末な映画をつくったわけではない。でも、この世界にはアイデアが満ちあふれている。模倣するほうが少しは楽かもしれない。でもそんなことをしても世界はよくならないんだ」

似たり寄ったりの製品ばかりをつくって独創を忘れたらダメである。誰もやっていないものを創造することこそが大事だ。実際、『バグズ・ライフ』は全世界の興行収入において、『アンツ』に2倍以上の差で圧勝することになる。

私たちはいつも偉大なアイデアを
臆面もなく盗んできた。

「連中は臆面もなく真似をした」

２００５年、ウィンドウズ・ロングホーン（発売名はビスタ）のことを聞いた時のスティーブ・ジョブズのコメントだ。ロングホーンは、マッキントッシュの焼き直しだったのである。模倣を軽蔑するジョブズらしい言葉だと言える。

しかし、アップルにしても新製品を常にゼロからつくり上げるわけではない。たいていは先行者がいた。たとえばｉＰｏｄには、「パーソナル・ジュークボックス」という先行製品があった。また、マッキントッシュの先端的技術の多くも、ゼロックス・パロアルト研究所に由来している。

アップルは埋もれた技術の価値を見抜き、すごい製品にする点で独創的なのだ。こうしたやり方について、ジョブズは画家パブロ・ピカソの「優れた芸術家は真似る。偉大な芸術家は盗む」という言葉を引用したあと、こうつけ加えた。

「私たちはいつも偉大なアイデアを臆面もなく盗んできた」

意外な体験が役に立つ

点が将来結びつくと信じなくてはいけない。

他のパソコンが一種類の不格好な書体しか用意していなかった時代、マッキントッシュでは多様な美しい書体を使うことができた。当時としては驚異的なことだった。

ジョブズは両親を無理に説得して入学したリード大学を1学期だけで中退している。しかし、その後も大学の寮に残り、もう単位も関係ないので、興味のおもむくままに授業を受けていた。その一つがカリグラフィ(書体学)で、ジョブズはその授業において、書体の美しさに目覚めたという。

その時の知識が、10年後にマッキントッシュをつくる時によみがえったのだ。ジョブズは、知識をマックに取り込んだ。だからこそ、さまざまな書体が選択でき、字間のバランスが取れるなどの世界で唯一の価値を持ったパソコンが誕生した。

2005年、ジョブズは米国スタンフォード大学の卒業式で、有名なスピーチをするが、「もし私が大学を途中で投げ出していなければ、カリグラフィの授業に顔を出すこともなく、このようなパソコンが生まれることもなかった」として、次のように続ける。

「大学にいた当時、将来を見据えて点と点を結びつけることは不可能でした。しかし10年後に振り返ってみると、点と点が結びついたことがはっきりとわかりました。点が将来なんらかの形で結びつくと信じなくてはいけません」

「点」をつくることの重要性

創造とは結びつけること。

創造は、必ずしも無から有をつくり出すことではない。すでにあるものをガラリと改善したり、着想を思いがけない形で組み合わせたりする場合がほとんどだ。

ジョブズは言う。「創造性というのはものごとを結びつけることにすぎない」と。

今、目の前にあるものと、過去の経験や知識が結びつく中で、新しいものが誕生する。

創造的な人間は、何かを見ているうちに、過去の経験をつなぎ合わせ、新しいものを統合することができる。

できる人とできない人の差は、多くのことを経験しているかどうかの差だ。あるいは自分の経験についてよく考えているかどうかの差である。

大切なのはつなぎ合わせる点をどれだけたくさん持つかだ。

点が足りないと直線的な解決策に終わる。それに対し、点が豊富なら創造性に結びつきやすいし、よりオリジナリティも増す。

創造性は発明とは違う。発明はゼロから有を生み出すことであり、それができる天才はめったに出現しない。

「無から有を」と力まず、リラックスして自由に動いたほうがいい。それがつながれば、創造はおのずから可能になる。

君たちはアーティストだ。
芸術家は作品にサインするものだ。

ジョブズは、芸術的創造と技術的創造は同じコインの両面であると考えていた。そして、社員に「君たちは技術と文化を融合させるアーティストだ」と言い、こう伝えている。

「二つ（芸術と技術）が別のものだとは思わない。レオナルド・ダ・ヴィンチは偉大な芸術家、偉大な科学者だった。ミケランジェロは採石場での石の切り出し方を実によく心得ていた。私が知る最高のコンピュータ科学者はみんな音楽家だ。実力はまちまちだが、全員がそれを人生の重要な一部と考えている。どんな分野であれ、そこでナンバーワンの人たちは、自分が枝分かれした木の一つの枝だとは思わないだろう。彼らはさまざまなものごとをまとめ上げる人間だ」

マッキントッシュの開発時も、ジョブズは、

「芸術家は自分の作品にサインするものだ」

と言い、チームメンバー全員に大きな紙にサインをさせた。それをネガフィルムに撮影、マッキントッシュのケースの内部に転写したのだった。

こうした製品に対する深い愛情はジョブズだけが持つものであり、それが他のコンピュータメーカーとの大きな違いでもあった。

夢のリストの提出もお願いした。

１９８８年、ジョブズが創業したネクストは、最初の製品「ネクストキューブ」を発表した。黒いマグネシウム合金でできた立方体ボディが異彩を放っていた。

アップルⅡとマッキントッシュによって革命を起こした男が雌伏《しふく》の時を経て新製品を発表するということで、大勢の招待客が集まり、マスコミも注視した。

ジョブズはマッキントッシュを披露した時と同様の素晴らしいプレゼンテーションを行い、ネクストキューブは最高学府のコンピュータユーザーの夢をかなえる製品だということを強調した。スタンフォードやカーネギーメロンといった総合大学から州立大学に至るまで多くの大学でヒアリングを行ったと訴えた。

「これらの大学に、仕様に関するリストだけでなく夢のリストも提出してくださるようお願いしました。これまで通りのコンピュータを拡大するためだけでなく、コンピュータに可能なことを想像するためです」

新製品へのマスコミの評価は高かった。ジョブズも意気軒昂《けんこう》だったが、ネクストがハードウェア会社として成功することはなかった。しかし、ネクストキューブとともに開発したＯＳネクストステップが、ジョブズ復活のドラマの立役者となった。

ジョブズにとって製品とは「夢をかなえるもの」だったことがわかる。

2011年は「模倣品」ではなく
iPad2の年になる。

かつては、画期的な製品をつくるのはアップル、それを模倣して儲けるのはマイクロソフトやデル・コンピュータといった構図があった。だが、ｉＰｏｄ以降は簡単にはアップルの優位が覆らなくなった。

たとえばデルは、ｉＰｏｄを追い上げるべく「デルＤＪ」を投入し「製品のスタイルも大切ですけど、結局、消費者にとって一番重要なのは機能と価格なんです」と乗り換えキャンペーンを張ったものの、みごとに惨敗した。

２０１０年に発売されたタブレット端末ｉＰａｄも同様だ。ｉＰａｄ発売以降、ライバル各社が続々とｉＰａｄを模倣し、タブレット端末に参入しようとした。

しかし、そんな動きをあざ笑うかのように、２０１１年、アップルははるかに先を行くｉＰａｄ２を発表し、ライバル各社の模倣品を「過去の製品」に変えてしまった。

２０１１年３月、ｉＰａｄ２の発表会場に現れたジョブズは、ライバル各社を「模倣者」と呼んだ。そして「２０１１年は『模倣品』ではなくｉＰａｄ２の年になる」と言い切った。

ｉＰａｄ２発表は死の半年前。痩せたジョブズには革新者の誇りがみなぎっていた。

▼ジョブズが手がけた作品たち④
ｉＰｏｄ

アップルを一挙に身近にしたｉＰｏｄ。例年秋になると、ファンは新製品発表に胸を躍らせたものだ。

そのラインアップはｉＰｏｄクラシック、ｉＰｏｄシャッフル、ｉＰｏｄナノ、ｉＰｏｄタッチなど年々増えていったが、技術上は２００５年にリリースされたナノが分岐点といえるだろう。

それまでのハードディスクに代わってフラッシュメモリが搭載されたことで「ポケットに１０００曲」という初期のキャッチフレーズはそのままに、サイズを５分の１にまで縮小できた。

２００５年９月のプレゼンで「大胆な発表をしよう」と登壇したジョブズは、リーバイス５０１の前ポケットの、さらに小さなコインポケットを指さし、そこから思い出したようにナノを取り出した。そして、ぽつりとこう口にする。

「あれ、こんなところにあったよ」

驚異的なダウンサイジングを際立たせたジョブズ一流の演出だった。

第4章

ジョブズ「プレゼンテーション」を語る

5パーセントは手に入れた。
あとは95パーセントだ。

スティーブ・ジョブズの言語感覚は鋭い。それは、人材をヘッドハンティングする時にも、大衆に新製品をプレゼンテーションする時にも、遺《い》憾《かん》なく発揮される。

宣伝でもそうだ。２００１年、直営店「アップルストア」をスタートさせる時、ジョブズは新聞広告のコピーに、みずからの弱みとも思える「シェア５パーセント」という数字を入れている。

「５パーセントは手に入れた。あとは95パーセントだ」

つまり、自分たちはとてもよい製品を出しているが、シェアはまだ５パーセントにすぎない。製品のよさを残りの95パーセントに伝えられて、そのうち何パーセントかが振り向いてくれれば、シェアは飛躍的に高まる、という論理だ。直営店を本気で展開することを知らせるために、あえて入れた。それがジョブズの言語センスだった。

ｉＴｕｎｅｓミュージックストアを始めようと、音楽の五大レーベルと交渉した時もそうだ。ジョブズはなかなか「イエス」と言わない相手に、自分たちはシェアがせいぜい５パーセントのマック専用零細ストアだと強調した。そして「マックでやらせてみてくれ。失敗してもダメージは市場のわずか５パーセントにすぎない」と説得した。

絶対不可能といわれた五大レーベルの説得は、弱みの逆用で可能になっていったのだ。

残る一生、ずっと砂糖水を
売っていたいですか？
それとも世界を変えたいですか？

スティーブ・ジョブズの口説き文句の中でも、ジョン・スカリーに放たれた言葉は有名だ。

当時、ジョブズは会長としてマッキントッシュプロジェクトに熱中していたが、同時にアップルが大企業に成長するには経験豊かな経営者が必要だと考えていた。狙いをつけたのは、38歳でペプシコーラの事業担当社長に就任、翌年にはコカ・コーラを抜いて同社を全米1位に押し上げたすご腕の経営者ジョン・スカリーだった。

スカリーは、いずれはペプシグループの会長にと将来を嘱望《しょくぼう》されていた。だから、最初は安定した大企業の地位を捨てて、アップルⅡの実績しかない無名のアップルに転じることをためらった。ただ、一方でパソコンの将来性も理解していた。

そんなある晩、ジョブズはスカリーにこう質問したのだ。

「残る一生、ずっと砂糖水を売っていたいですか？　それとも世界を変えたいですか？」

条件もよかった。年俸１００万ドル、移籍ボーナス１００万ドル、最大１００万ドルのストックオプション（自社株購入権）などが提示され、スカリーは挑戦を選んだ。

もっとも、2年後にそのスカリーによってアップルを追放されるなど、ジョブズは夢にも思わなかっただろう。

あなたと僕は未来をつくるんです。

ジョブズとスカリーの関係は、ある時期までは完璧だった。マスコミは二人のことを「ダイナミック・デュオ」と評し、スカリーもこんなことを言っていた。

「アップルの指導者はただ一人です。それはスティーブと私です」

ジョブズも、スカリーは自分のことを本当にわかってくれる人間だと信じた。ある時、スカリーにこう言ったという。

「あなたのことは、まさにウォズニアックやマークラと同じように思えます。あなたは会社の（共同）創業者の一人のようです。彼らとは会社を創業したけど、あなたと僕は未来をつくるんです」

これ以上の殺し文句があるだろうか。

アップルはジョブズとウォズニアックのアイデアから始まり、そこにマークラというスポンサーにして経営者が加わることでガレージから上場企業へと成長を遂げた。しかし、ジョブズにとってこの二人は共同創業者ではあっても、ともに未来をつくる人間ではなかったようだ。マッキントッシュによって世界を変えるというジョブズの最大の理解者にして賛同者はスカリーだった。

ほどなく二人が別々の道を歩むことになる現実は、また別の話だ。

起業に踏み切らせたひと言

お金は損するかもしれないけど、
自分の会社が持てる
一生に一度のチャンスだ。

ジョブズの「口説き上手」は、若い頃から変わっていないようだ。

１９７６年、ジョブズとスティーブ・ウォズニアックの二人は、アップルコンピュータを設立する10ページの契約書にサインした。

ジョブズがフォルクスワーゲンを売り、ウォズニアックが電卓を売ってつくった資金１０００ドルの会社は、大儲けできる規模ではなかった。大きな夢はあったのだろうが、現実は、コンピュータ用ボードを25ドルでつくって、50ドルで売る程度でしかなかった。だから、ウォズニアックは勤務していたヒューレット・パッカード社を辞めるつもりはなく、当初は会社設立にも積極的ではなかった。

そんなウォズニアックを、ジョブズはこう口説いたという。

「お金は損するかもしれないけど、自分の会社が持てるよ。自分の会社が持てる一生に一度のチャンスだ」

大学も卒業せず、何の後ろ盾も持たない二人にとって、自分の会社を持つのは夢のまた夢だったはずだ。だからこそ、この提案はとても魅力的だった。ウォズニアックは、その時の気持ちを、「これには負けた。自分たちがそんなことをすると思っただけで元気が出たよ。すっかりその気になってしまった」と述懐している。

ゲイツを驚かせたひと言

ビル、二人を合わせるとデスクトップの１００パーセントを押さえている。

アップルに復帰し、ＯＳＸ向けのソフトウェアを書いてもらうべく開発業者を次々と訪問した時も、ジョブズはとんでもない論理で相手を納得させている。

相手とはビル・ゲイツだ。

ゲイツは、ＯＳＸが未完成なのを嫌がり、「できあがってもいない製品に肩入れするのはうちのやり方じゃないんだ」と最初は協力を拒んだ。

ジョブズは、以前に未完成のマッキントッシュにソフトを書いてもらって成功したことを念頭に「前に肩入れした時は、よい思いを味わったじゃないか」と切り返した上で、こんな言葉を口にした。

「ビル、二人を合わせるとデスクトップの１００パーセントを押さえていることになる」

その言葉に嘘はなかった。ただし１００パーセントの比率は、マイクロソフト95パーセント対アップル５パーセントというとてつもない差があった。それを「二人合わせて」と一緒くたにして、「だから協力しないなんてバカげている」と言う。

あまりにすごい論理にゲイツは「あいつには驚かされるよ。売り込みの天才だな」とあきれ、ＯＳＸ向けに新しいオフィスやインターネットエクスプローラーの開発を約束することになった。

会社を変えたキャッチコピー

Think Different.
（固定観念を打ち砕け）

ジョブズの言語感覚の巧みさがよく表れているのが、キャッチコピーだ。中でも代表的なものがこの「Think Different」（固定観念を打ち砕け）だろう。

ジョブズ追放後、アップルはしばらく躍進した後、深刻な低迷期に入る。何より打撃だったのは理念や夢が社内から失われたことだ。

アップルは「コンピュータは人類最高の発明品の一つであり、アップルは宇宙一のコンピュータをつくる」というジョブズのロマンを実現する会社でなければならなかった。だがＣＥＯたちが、利益を追うだけの企業に変えてしまう。

復帰したジョブズは「アップルらしさを取り戻すにはルーツに戻ることだ」と考え、生まれたのがこの「Think Different」キャンペーンだった。このコピーのもと、過去の偉人など象徴的な人物を用いた広告やＣＭが作成され、大きな反響を呼んだ。

誰を尊敬しているかを知れば、その人のルーツがわかる。ジョブズは、ジョン・レノンやピカソなど約40人をみずから選んだ。「自分が世界を変えられると本気で信じる人たちこそが、本当に世界を変えている」というコピーは、ジョブズの生き方そのものだった。

Think Differentを直訳すれば、「違う視点で考えろ」だが、当時の状況を考えると「前例にとらわれず、固定観念を打ち砕け」と訳すほうが正しく思えてくる。

最高の製品だから、
最高の発表をしなければならない。

ジョブズはプレゼンテーションの名手として知られるが、最初からそうだったわけではない。初めて参加したコンピュータ・フェアでは、パンフレットはコピーしただけ、名刺はお粗末、服装は信用の置けない汚さだった。

そんなジョブズに、共同創業者の一人であるマイク・マークラは、本を買う人は表紙を見て買うのだと諭した。成功したいのなら、成功した企業のように振る舞わなければならない。ジョブズはこの教えをもとにアップルⅡを売り込む演出を行った。２回目のフェアではスーツを着たジョブズが、ケースに入ったアップルⅡをみごとに売り込んでいる。

アップルⅡでさえこうなのだ。心血を注いでつくり上げたマッキントッシュであれば、最高のＰＲ、最高のプレゼンテーションを行うのは当然のことだった。

「マックにはそれだけの価値がある。僕がこれまでの人生で見てきた中でも最高の製品なのだから、それにふさわしい最高の発表をしなければならない」

そこから生まれたのが、ＴＶの視聴率が最高に高まるアメリカンフットボールの祭典スーパーボウルでただ一度だけ放映された伝説のＣＭ「１９８４」である。そして、ジョブズがボブ・ディランの詩を朗読し、マッキントッシュにしゃべらせるというみごとな演出で知られるプレゼンテーションだった。

イノベーターとしての自負

今日、アップルは電話を再発明する。

ジョブズのプレゼンでもとりわけ有名なのが、iPhone発表時のこのひと言だ。

以前からジョブズは、革新的で、かつ誰でも簡単に操作できる製品の象徴として、しばしば電話を挙げていた。たとえばIBMのパソコンは操作が非常に難しかった。一方、マックはマウスによる直感的な操作が可能で、それを「私たちの業界で最初につくられた電話とでもいうべきものでしょう」と表現している。前述した「ベルは、電話を発明する前に市場調査などしたか？」というセリフも有名だ。

そんなジョブズが、2007年1月、iPhoneによって電話を「再発明」した。発表の日、ジョブズはアップルが世界を変えた製品として、マック、iPodに触れたあと、「これらと比肩する新製品を三つ発表する」と告げた。

一つはワイド型タッチパネルのiPod。もう一つは革新的な携帯電話。そして三つ目は次世代の携帯型モバイル通信機。そしてこう続けた。

「わかっていただけたと思う。これは三つの別々のデバイスではない。一つのデバイスだ。我々はこれをiPhoneと呼んでいる」

iPhoneの登場で、スマートフォンは一気に携帯電話の主流となり、従来の携帯電話を過去の遺物にするほどの勢いで普及した。文字通りのre（再）invent（発明）だったのだ。

僕の一番の貢献は、本当にいいもの以外には常に口を出し続けたことだ。

ジョブズは製品開発にあたり、非常に細かいところまで徹底的にこだわることで知られている。製品発表のリハーサルでも、それはまったく変わらない。

ある発表会のリハーサルで、ジョブズの前で自分の担当パートの練習をした社員は「お前の説明はまったくなっていない。組立て直せないならお前の分は外す」と言われ、大きなショックを受けたという。

ただし、何度かやり直したあと、本番に臨み、周囲の人からもジョブズからも「よくやった」と言われ、自分の能力を引き上げてくれたことに感謝したという。

また、ｉＭａｃの発表前日のリハーサルでは、照明の強さや点灯のタイミングに納得がいかず、うまくいくまで何度もやり直させている。そしてすべてがうまくいった瞬間、「これこれ、これだよ。完璧だ」と興奮して叫んだという。

その様子を見ていた「タイム」の記者は、最初はなぜこんな細かい点にこだわるのか首をひねったが、発表会の当日、ｉＭａｃが登場する瞬間を見ていたく感動し、「彼は正しかった」と納得したという。

ジョブズは完璧主義者だ。頭の中の「こうあるべき」を極限まで追求する。だからこそ、できあがったものは見たこともない、感動的なものになる。

あっ、それからもうひと言。

ジョブズのプレゼンテーションの巧みさはよく知られるところだ。中でも、マッキントッシュ発表に際してジョブズが行ったプレゼンは特に話題となった。以来、ジョブズのプレゼンは、製品発表でありながら世界中の人が期待に胸をふくらませて見るようになった。製品発表をショータイムに高めたＣＥＯは、ジョブズ以外にいない。

そんなプレゼンの最後にぽつりと言い、聴衆をいやが上にも熱狂させた言葉が「それからもうひと言（And one more thing.）」だ。

たとえば、１９９８年１月、アップル製品の展示会であるマックワールドでの基調講演では、講演が終わったとみんなが思った瞬間、マイクに戻って「危なく忘れるところだった。儲かってるよ」とつけ加えた。

ジョブズは、倒産寸前のアップルに１９９６年に復帰し、その翌年、暫定ＣＥＯに就任していた。早くもアップルを黒字に転換させたことは、「我らがジョブズがアップルを救ってくれた」と聴衆を狂喜させた。

あるいは２００１年１月のマックワールドでも、基調講演の最後に「それからもうひと言」と、前年に肩書きから「暫定」を外したことを発表している。ジョブズの正式ＣＥＯ就任は、輝けるアップル復活の象徴であり、聴衆は大喝采した。

▼ジョブズが手がけた作品たち⑤
iPhone

２００７年１月に開催されたマックワールド・エクスポは、とりわけ実り多く、アップルの節目になったイベントだった。

正式社名が、アップルコンピュータから現在のアップルになったのもこの時だ。

それはアップルが単なるデジタルメーカーから、コンピュータを中核とするデジタル家電会社になったという宣言だった。

また、このエクスポでは、噂の的になっていたiPhoneが発表された。

業界は「あのアップルが携帯電話をつくっている」と戦々恐々とし、ジョブズはそれを逆手にとって市場を撹乱していた。

リリースする新製品はこの三つだと、意図的に情報を流していたのだ。

・タッチスクリーンのiPod

・前例のない携帯電話

・携帯端末

蓋を開けてみれば、それがiPhoneだった。プレゼン会場のスクリーンには、白いiPodに古い電話ダイヤルをつけたニセ写真が登場して笑いを誘った。

だが、確かにiPhoneはiPod、フォン（電話）、インターネットを一つに集約したものだった。

ジョブズとアップルは、こうして電話を再発明したのだ。

第5章

ジョブズ「リーダーの条件」を語る

多くの企業は優れた人材を抱えている。
でも最終的には、
それを束ねる重力のようなものが
必要になる。

スティーブ・ジョブズはカリスマリーダーだといわれる。リーダーの役割を、ジョブズは、こう言っている。

「多くの企業は優れたエンジニアや頭の切れる人材を大量に抱えている。でも最終的には、それを束ねる重力のようなものが必要になる」

１９７９年にゼロックスのパロアルト研究所を訪れ、生み出された素晴らしい技術を目にしたことは、ジョブズの運命を変える出来事だった。そこにはコンピュータの未来があったのだ。だが、それをマッキントッシュという現実の製品にしたのはゼロックスではなく、ジョブズだった。以来、ジョブズはゼロックスに軽蔑の念を抱くようになった。

マック発売の前後、ＣＥＯだったジョン・スカリーがアップルとゼロックスの連携を模索したことがある。ゼロックス訪問の日、スカリーはジョブズに行儀よく振る舞うように頼み、ジョブズも了解したが、会談が始まって２、３分もすると、ジョブズはゼロックスを口汚く攻撃し始めてしまった。たくさんの優秀な人がいるのに、トップの人間がそれを理解せず、製品化もできないことが我慢ならなかったのだ。

ジョブズはこの頃から、自分が「重力」になるにはどうあるべきかを深く考え始めたのではないだろうか。

優れた仕事をできないのは、
たいていの場合、
彼らがそう期待されていないからだ。

「スティーブにハッパをかけられると、自分一人じゃやれないと思っていたことができる」とは、ネクストとアップルでジョブズと働いたジョン・ルビンシュタインの言葉だ。

ジョブズは製品の細部にまでこだわり、いつもプロジェクトチームのメンバーに無理難題をふっかける。マックのソフトウェア開発が間に合わないと訴えるメンバーには、ジョブズはチームがいかに優れているか、アップルのみんながいかに期待しているかを話し、こう締めくくると電話を切ってしまった。

「ソフトウェアチームが頼りだ。やればできる」

ところが、このひと言で、ぶっ倒れる寸前のメンバーは息を吹き返し、ソフトウェアを完成させている。

ｉＰｏｄの試作品にも毎週、無理な注文をつけ、最高の製品へと仕上げている。そこにはジョブズなりの考えがあった。

「人が優れた仕事をできないのは、たいていの場合、彼らがそう期待されていないからだ。誰も本気で彼らの頑張りを期待していないし、『これがここのやり方なんだ』と言ってくれる人もいない。でも、そのお膳立てさえしてやれば、みんな自分で思ってた限界を上回る仕事ができるんだよ。歴史に残るような、本当に素晴らしい仕事がね」

それがマッキントッシュの大きさだ。
これ以上、大きくすることは許さない。

アップルⅡが成功した要因の一つに、ジョブズがプラスチックのケースに納めて、まるで家電製品のように仕上げたことが挙げられる。ほとんどの人が自前のコンピュータを、そのへんにある木箱などに入れて使っていた時代、それは画期的なことだった。

一方で、ジョブズが暴走して大混乱を招いたプロジェクトもある。アップルⅢだ。チーム形式で開発されたが、その際、ジョブズはエンジニアの要求を無視してケースのサイズや形状を勝手に決めた。基板を小さなスペースに押し込まざるを得なくなり、それが大量の不良品につながったとも言われている。

ジョブズは少しもこりず、マッキントッシュの開発に際しても、ケースの大きさや形状について主張を強く打ち出した。設計会議で電話帳を机の上に置いて、こう宣言した。

「それがマッキントッシュの大きさだ。これ以上、大きくすることは許さない。消費者に受け入れられる限度がそれだ。もう一つある。ずんぐりと四角いコンピュータにはあきあきだ。横長じゃなくて、縦長にしたらどうだ？　考えてみてくれ」

電話帳は当時の一番小さいコンピュータの半分の大きさしかなかった。だが、マックチームは不可能を可能にした。マックはジョブズの望み通り小型で縦型のものになった。

リーダーの無茶な要求は、時に混乱を、時にブレイクスルーをもたらすのである。

ジョブズの時間感覚①

3カ月なんて頭は持っていない。一晩で成果を上げてほしい。

ジョブズには並外れたスピードへの執着がある。

ジョブズが若い頃に働いていたアタリの創業者ノラン・ブッシュネルが「何かをやる時のスケジュールが月単位や年単位じゃなくて、日単位や週単位なんだ。あれはよかったね」と言っているほどだ。

ジョブズが復帰したアップルに、ヒューレット・パッカード出身のジェフ・クックが顧客サービスとサポート担当副社長として入社した。ジェフは１９７０年代後半からアップル製品を使い続けており、ジョブズを崇拝していた。だから人材スカウト会社からの誘いに喜び、15年間勤めた会社を辞めて転職したのだ。

しかし、待ち受けていたのはジョブズの辛辣な言葉だった。ジョブズはミーティングの席で「サービスとサポート部門は、全員、脳みそが腐ってるぞ」と言い放った。めげずにジェフが変革の３カ月計画を説明し始めると、今度はこう言われた。

「それは君のヒューレット・パッカード時代のやり方かもしれないが、僕は３カ月なんて頭は持っていないんだ。僕はね、一晩で成果を上げてほしいんだよ」

結局、ジェフは４カ月でアップルを去ることになるが、それでもジョブズは「並外れたリーダー」だったと信じている。

月曜日？　冗談だろ？　今夜中だ。

1981年のある金曜日の夕方、古参社員バレル・スミスのもとに、サンプル基板が届いた。そこにジョブズがやってきて、「テストはいつ頃になりそうなんだ」と聞いた。1台組み上げるだけで2、3時間はかかる。バレルが「明日の朝か、月曜日に始める」と言ったところ、ジョブズがこう言った。「月曜日？　冗談だろ？　バレル、お前のプリント基板なんだぜ。動くかどうか、今夜中に確かめたくないのかよ？」と。

バレルはすぐに作業に取りかかり、夜の8時過ぎになってようやく完成した。まずまずのレベルだった。ジョブズはにっこり微笑んで、バレルをレストランに連れて行った。

ジョブズは別の金曜日の午後遅くにも、マック開発の主要メンバーであるアンディ・ハーツフェルドに、同様の命令をしている。

「お前、もうずいぶん長いことサウンドと取り組んでいるだろう。俺は月曜日には素晴らしい音を聞きたいんだよ。わかるな」

月曜日にまたやってきたジョブズは、サウンド機能のデモができあがっているのを喜んだが、満足はしなかった。ジョブズが望むレベルの音を出すためにはその後、何年もかかったという。ジョブズは常に規格外のスピードを社員に求めたが、それに応えた人へのねぎらいも忘れなかった。

ジョブズの時間感覚③

週90時間、喜んで働こう。

1982年、ジョブズはアップル本社のあるクパチーノの南にある海辺の高級リゾートで、マッキントッシュチームの合宿を行った。合宿には100名近くが参加、ジョブズは黒板に次のような言葉を書いて、メンバーのやる気に火をつけた。

「海賊になろう」

「週90時間、喜んで働こう」

当時、ジョブズは労働時間が80時間を切るようなやつは落ちこぼれだと考えていた。今ではとうてい容認されない働き方だ。しかし、単に長く働くのは苦痛だが、そこに「世界を変える」「宇宙に衝撃を与える」という熱い情熱があれば、何時間働いたなんてことはどうでもよくなってくるのもまた事実だ。ジョブズは当時をこう振り返っている。

「僕らは毎週7日間、毎日14時間から18時間ぶっ通しで働いた。2年間ずっとね。いや、3年かもしれない。それが僕らの生活だった。でも、みんなそれを楽しんでいた。若かったからこそできたんだろうな」

こうしたすさまじいまでの仕事から生まれたのがマッキントッシュだ。だからこそ、マッキントッシュの開発チームにいたメンバーは自分を含めてみんな、「あの当時が自分のキャリアの絶頂期だった」と誇らしげに語ることができる。

「これは無理だ」と38個の理由を並べた。

そこで言った。

「いや。これをつくるんだ」

ジョブズは巧みな言葉で人の心をつかむのもうまいが、シンプルに「ノー」のひと言で人を動かすことも多い。

アップルに復帰したジョブズが最初に大ヒットさせたのはｉＭａｃだ。残っていたＡクラスの人材ジョナサン・アイブがデザインを担当した傑作である。

だが、開発の過程では、アイブが試作品をエンジニアに見せると、「こんなのはつくれない。不可能だ」と拒否されている。それを押し切ったのはジョブズの「ノーにはノーで返す」強い姿勢だった。

「エンジニアのところへ持っていったら、これは無理だと38個の理由を並べ立てた。そこで『いやいや、これをつくるんだよ』と言ったら、『なぜです？』と反論してきた。だからこう言ってやった。『ＣＥＯの私が、これは可能だと思うからさ』ってね」と述懐している。エンジニアは仕方なしに従った。

結果は世界的大ヒットとなった。

できない理由を挙げるだけなら誰だってできる。大切なのは「どうすればできるか」を考え、実行する力だ。「できない」という相手に強く「ノー」を言うことで、「イエス」を引き出す。「ノー」はジョブズの最強の言葉だった。

10秒早く起動できるようにすれば、
何十人もの命を救えるんだ。

ある時、ジョブズはマッキントッシュの起動が遅いことにいらだち、担当者に「もっと早くしないとな」と不満をぶつけた。そして、言いわけをする担当者を無視して、なぜ早くする必要があるかを話し始めた。

将来的にはマックユーザー人口は５００万人に達する。その人たちが１日１回は起動するとして、起動時間を仮に10秒短くできれば何が起きるか。５００万人分だから、１日ごとに５０００万秒になる計算だ。

「１年だと、たぶん人間の寿命の何十倍にもなるだろう。考えてもみろよ。もし10秒早く起動できるようにすれば、何十人もの命を救えるんだぞ」

相当に強引な理屈である。しかし、ジョブズのこの言葉に動かされたかどうかは定かではないが、それから２、３カ月後には、マッキントッシュの起動時間は10秒以上短縮されることになった。

ジョブズには、マックチームが「現実歪曲《わいきょく》空間」と名づけた不思議な才能があった。現実的に不可能なスケジュールだろうが、常識的に難しい要求だろうが、ジョブズが説得すれば誰でも何でも受け入れてしまうという能力だった。

「10秒早く起動」も、ジョブズが言えばこその説得力があったのだろう。

「ノー」を受け取らない

君ができないなら誰か他の人間を探すさ。

ジョブズのマネジメントの特徴の一つは、何がなんでもなし遂げたいと考えていることに関しては、絶対に「ノー」を受け取らないことだ。「できっこない」「絶対に無理」という言葉で引き下がることはなかった。

マッキントッシュのケースをつくっていた時、ジョブズの要求通りにするのがとても無理だということが技術者たちの共通見解になった。技術者の一人が「スティーブ、不可能です。複雑すぎます」と訴えると、ジョブズは平然とこう言った。

「そんなはずはない。君ができないなら誰か他の人間を探すさ」

できないのなら、できる方法を探せばいい。それでもダメなら、できる人間を見つけてくればいい。それがジョブズのやり方だ。

ジョブズと15年以上も仕事をしたジョン・ルビンシュタインによると、要望がとうてい達成できそうもない時、その理由や問題点を説明し、代替案も提示すると、ジョブズは話は聞いてくれる。ただし、たいていは「言いたいことは全部わかった。でも、僕のために頑張ってくれないか」のひと言で片づけるという。

その結果、ルビンシュタインは多くの場合「オーケー」と答え、何とかしようと頑張ることになったという。

真の芸術家は出荷する。

マッキントッシュがコンピュータの歴史を変えるほどの名機になった最大の理由は、開発メンバーが芸術的な価値観によって動かされていたことだ。主要メンバーだったアンディ・ハーツフェルドは「技術的にも芸術的にも最高の作品にしたかった」と言っている。

こうした価値観を強烈に植えつけたのはジョブズだ。ジョブズはマックチームに「君たちは技術と文化を融合させるアーティストだ」「この製品を現実のものにするのは君たちの創造性だ」などと、魅力的な言葉を並べ立てた。チームを美術館に連れ出すこともあった。

エンジニアを「アーティスト」と呼ぶジョブズは、さらに魅力的な提案をした。ジョブズはあるミーティングのあとでサインパーティーを開いた。そして、「芸術家は自分の作品にサインするものだ」と説明し、大きな製図用紙にメンバーがサインをして、それからケーキとシャンパンが振る舞われた。

ただし、単なる芸術作品と違うのは、期限までに出荷することが必要なことだ。1983年1月、ジョブズは遅れているスケジュールを急がせるために「真の芸術家は出荷する」というスローガンを掲げた。その言葉のもと、チームは半ば伝説化するほどのハードワークをこなし、ついにマッキントッシュは完成した。

ジョブズはこの言葉で社員の使命感を引き出しつつ、製品を完成に導いていったのだ。

理想的な組織のサイズ

100人以上の事業部を動かす気はない。

ジョブズは大きな組織よりも小さな組織を好む。規模が大きくなると中間管理職が生まれ、創造性が発揮されなくなることをよく知っていたからだ。だからアップルが大きくなれば、小さなグループをつくって、そこで創造性を発揮させればいいと考えていた。

マッキントッシュ開発は小さなグループからスタートしたが、やがて人数が80名を超え、バンドレー・スリーと呼ばれるビルへと引っ越すことになった。新しいオフィスのレイアウトについて、ジョブズは、建物をきちんと整備するためには、１００万ドル使っていいと言った。そして、こう続けた。

「予定では１００人の人間を収容するレイアウトになる。１００人以上の事業部を動かす気はないし、君らだって１００人以上の人間といっしょに働きたいとは思わないだろう」

そしてさらに、もっと人間が必要なら、その人間の代わりに誰かが出て行くことになる、とつけ加えた。

それほどまでにジョブズの「１００人」へのこだわりは強かった。

メンバーも同様で、引っ越しの前日、ビルには海賊旗が掲げられた。マックチームは海軍のように大きくなり始めていたが、決して当初の海賊スピリットを忘れてはならないという意味が込められていた。

手加減して人を扱うことではなく、人を育て上げることが私の仕事だ。

誰にも見えないビジョンを掲げ、非常識とも思えるアイデアを現実のものにする。そういうジョブズの魔法は誰も真似できないが、部下は間近で働くことで、その流儀を身につけることはできた。ジョブズが有能な上司として評価されるのはその点だ。

「手加減して人を扱うことではなく、人を育て上げることが私の仕事だ」とジョブズは語ったが、アップルＣＥＯとしてジョブズ亡きあとのアップルを見事に率いてきたティム・クックは、そうやって鍛えられた一人だ。

彼はＩＢＭやコンパックで長く働いたあと、アップルにやってきた。経営畑のため、クリエイティブが目立つアップルでは派手さはないが、ジョブズが膵臓ガン摘出手術を経て復帰した２００５年、すでに最高執行責任者（ＣＯＯ）に就任している。アップルが全米で一番企業価値の高い会社になった基礎は、ティム・クックが築いたといっていい。製造工程を徹底的に見直し、製造はアジアの国々に委託して流通在庫を激減させた。

そして、いまやアップルの時価総額は２００兆円を超えている。これも「会社の異なる要素を組み合わせ、カギとなるプロジェクトの道を開いて土台をつくっていく。そして、有能な人材をぎりぎりまで鍛えて、その力をさらに高めるのが私の仕事だ」と語っていたジョブズの成果の一つであろう。

どんな人材を評価するか①

世界で一番いいものをつくりたくてうずうずしている人間を雇うのだ。

数々のイノベーションを可能にしたのはジョブズの卓越したアイデアだ。だが、時に無謀にしか思えないジョブズの無理難題に応え、アイデアに具体的な形を与えてきたのはジョブズの指揮で働いたスタッフたちである。初期のアップルの数々の斬新な製品を誕生させたのも、また、倒産寸前のアップルが復活できたのも、彼らの努力があってこそだ。

そのスタッフの多くは、ジョブズが時には強引に他社から引き抜いてきた人材だった。では、ジョブズが引き抜きたくなる人材とはどんな人物か。こう言っている。

「アップルでは世界で一番いいものをつくりたくてうずうずしている人間を雇うのだ」

できる者とできない者の違いには独特な嗅覚を働かせた。たとえば、タクシーに乗った時、有能なドライバーにあたるか、最悪のドライバーにあたるかの比率が1対2だとすると、レストランで「いいコック」「最悪のコック」の比率は1対3ぐらいになる。競争の激しいコンピュータ業界では、その比率は1対100か、それ以上に厳しいものになるとジョブズは考えていた。

そして、Aクラスの人材だけをそろえるために、採用に力を入れ、時にみずから相手を口説き落とし、人材の流失を防ぐため打てる手はすべて打つとともに、期待に応えない社員は容赦なくクビにした。

アップルは他社からの難民で成り立っている。ものすごく頭がいいんだが、他社ではトラブルの種になるような連中ばかりなのさ。

ジョブズが「Ａクラス」を選ぶための面接は一風変わったものだった。

「なぜカフスボタンをつけているの」といった質問もあれば、「自分をすごい奴だと思うか」と聞いてみたり、「君が自分のことをわかってるなんて、どうやって信用できるんだ」と威圧的な質問を投げかけることもあった。

かと思えば、相手は敬意を表するに値しないと判断した場合、「童貞を失ったのはいつですか」「これまで何回ぐらいＬＳＤ（合成麻薬）をやったことがありますか」などと困惑させるだけの質問を口にすることもあった。

ただ、ジョブズがマイクロソフトやグーグルと違っていたのは、どれだけいい大学に行っているかやどんな学位を持っているかといった履歴書に書かれた内容よりも、みずからの見る目を信じていたことだ。

ジョブズはアップルをこう評した。「アップルは（米国移民管理局があった）エリス島のような会社だ。つまり他社からの難民で成り立っている。個人として見るとものすごく頭がいいんだが、他社ではトラブルの種になるような連中ばかりなのさ」と。

ジョブズは、そんな海賊のような若者を引き連れてマッキントッシュ開発の長い航海に出て、やがてパソコンの新大陸を発見してみせた。

社員に覚悟を求める

言ったことが覚えられないなら、今すぐやめろ。

スティーブ・ジョブズは、人を動かすカリスマだ。怒鳴り、猫なで声を出し、人格攻撃をするかと思えば絶賛する。無理を平然と押しつけつつ、理想の旗を高く掲げる。どこまでが性格で、どこまでが戦略なのかわからないし、「その手に乗らない」ことはできない。選択肢は、去るか、死ぬほど働くかだけである。

たとえばアップルに復帰後、ジョブズは再建のために、すべての製品グループと話し合った。ある時、大会議室で、前置きなしの説明と質問を行った。席上で誰かが熱心にメモを取っていたところ、ジョブズはこう言ったという。

「私の言ったことが覚えられないようなら、今すぐやめろ」

「メモを取るのをやめろ」ではなく、「会社を辞めろ」の意味だったという解釈もあれば、「大切なことなら覚えているはずだ」という意味であったとも言う。

ジョブズは会議で話し合われた内容も、大勢の社員と最後に交わした会話や最後に交換したメールの内容も記憶していたという。それだけに本当に大切なこと、自分が一生懸命にやっていることなら覚えているはずだ、と考えていた。

大切なことを覚えられず、メモを見なければ答えられないような能なしはアップルには不要、というわけだ。

ピンチの時には
身近にいる人員を総動員して、
彼らを信じるんだ。

ジョブズはピクサーでも、その言葉によって社員のやる気をうまく引き出していた。『トイ・ストーリー』で大成功を収めたピクサーが、その後『トイ・ストーリー2』を制作した際の話である。ディズニーからの提案もあり、極めて短期間での制作が求められていた。

しかし、監督ジョン・ラセターは『バグズ・ライフ』の制作にかかりきりで、時間をほとんどさけない。完成すれば大ヒット間違いなしだが、時間がなさすぎる。公開を延ばしてはどうかという提案に、ジョブズはこう答えた。「ピンチの時には、新しい人材を探す暇はない。身近にいる人員を総動員して、彼らを信じるんだ」と。

これを聞いたラセターは『バグズ・ライフ』を完成させるや、信頼できるメンバーに総動員をかけた。そして、わずか2日で完成版のストーリーを生み出し、全社員にプレゼンした。それは誰もが参加したい、アニメーション化したいと考えるほどの出来だった。「いい作品になる」という確信がメンバーを仕事に没頭させた。

こうして『トイ・ストーリー2』は予定通りに公開されて大ヒットする。仲間を信じるジョブズのひと言が、彼らのやる気に火をつけたのだ。

即戦力なんて存在しない。
だから育てるんだ。

アップルとピクサーとでは、ジョブズの役割は大きく違っていたようだ。

アップルでは非常に細かいところまで口を出すが、ピクサーでは優れたコンピュータ技術者エド・キャットムルと、天才的アニメーターのジョン・ラセターに制作面を任せ、ビジネス上の交渉といった面倒なことを引き受けている。

そのピクサーは、ハリウッドの中では異質な存在だ。

ハリウッドでは、売り込まれるストーリーにはお金を出すが、必要な人材はフリーランスで雇用される。それに対し、ピクサーは監督も脚本家もスタッフもみんな給料制の社員であり、ストーリーの持ち込みは原則お断りを貫いている。「アイデアに投資するのではなく、人材に投資し、人材を育て、そこからアイデアを生み出す」のだ。

「我々は、10年をかけ、クリエイティブな人材とテクニカルな人材を育ててきた。外部から気軽に調達できるもんじゃないんだ。即戦力になるような人材なんて存在しない。だから育てるんだ」

こうしたやり方はクリエイティブな人間にとって居心地がいいのだろう。ピクサーの世界最高のアニメーション人材は、競合他社からの猛烈なスカウトを断り、さらに才能ある人材が次々と集まってきたという。

仕事はチームスポーツなんだ。

２０００年のマック・ワールドエキスポで、ジョブズはいつものように素晴らしいプレゼンテーションを行ったあと、「スティーブ、スティーブ」とスタンディングオベーションをする会場に向かって、「みなさんの感謝の心を、アップルの全社員を代表し、受け取らせていただきます」と言い、こんな言葉をつけ加えた。

「毎日、会社に行っては、アップルでもピクサーでも、世界中で最も才能ある人たちと仕事をしている。世界一の仕事だ。でも、この仕事はチームスポーツなんだ」

２００７年、ｉＰｈｏｎｅのプレゼンテーションを終えたあとも「この場を去る前に、家族に、アップル社員みんなの家族に感謝したい」と前置きして、こう言った。

「アップルはすごい仕事ができる会社だけれど、そのためには家族のサポートが必要なんだ」

また、ピクサーでは「アートはチームスポーツだ」という合い言葉のもと、みんなで一致協力することを大切にしている。

映画も優れた製品も、才能ある人間が協力し、かつ家族のサポートがあってこそできる。その中心にジョブズがいるのは確かだが、さまざまな経験を経て、ジョブズは「チームスポーツ」という言葉と感謝を口にするようになった。

気が長くなるわけじゃない。
どう質問したらいいのかが
わかるようになるんだ。

年を取るにつれて人間は変わっていくものだが、ジョブズはどうだったのだろうか。評価は大きく変化した。若い頃は、優れた製品はつくるが、人を使うのが下手で、会社の経営はとても任せられないという評価が多かった。

しかし、アップルに復帰してからの十数年で「史上最高のＣＥＯ」の一人に挙げられるまでになっている。

ジョブズは変わったのか。

その問いに、ジョブズ自身は、50歳になると先のことを考えるようになると答えている。ただ、先のことを考えるからといって、「気が長くなるわけじゃない」とも言う。

「どう質問したらいいのかがわかるようになるんだ。やりたいことをすべてできるほど、優秀な人の数は多くない。だから、今は、Ａチームに何かをやらせる前に、よく考えるようになった。忍耐強くなったからじゃないんだ」と言っている。

先のことを見通し、適切な質問をする。若い頃は勢いのままに人と衝突することも多かったジョブズだが、年を経ることで、人を動かすスキルにより磨きがかかっていったのだ。だからこそ彼は、現代を代表する経営者とまで呼ばれる存在になったのだろう。

偉大な製品は、
情熱的な人々からしか生まれない。

ジョブズが世界を変えるほどの製品をつくり出せたのは、すさまじいほどの情熱が周囲を巻き込み、夢中にさせたからだともいえる。

ジョブズとともにリサを立案したトリップ・ホーキンスは、アップルが成功した理由をこう話している。「自分たちがしていることを心から信じていたからです。お金のために仕事をしていたのではなく、世界を変えるために仕事をしていた」と。

マッキントッシュのリリースでは、ジョブズはこう言った。「自分たちのビジョンに賭け続けていたい。誰もがつくれるような代物は他の会社につくらせておけばいい。次にどんな夢を描けるか、僕たちにとってはそれがいつも重要なのだ」と。

ジョブズとともにマックチームの熱気のただ中にいたアンディ・ハーツフェルドは、こう述べている。「熱意は人から人へと伝わるものだ。つくるのが楽しい製品は、使うのも楽しい可能性が非常に高い」と。

ジョブズ自身も、「偉大な製品は、情熱的な人々からしか生まれない」とメンバーを鼓舞し続けた。不遇の時期には、「会社を売れば大金が転がり込むかもしれないが、その瞬間、ひょっとしたら自分の人生で最も素晴らしい経験をみすみす放棄しているかもしれない」と、仲間とともに耐えた。成功はその果実だったのだ。

▼ジョブズが手がけた作品たち⑥
iPad

　iPadが得意とするのは、ブラウジング（閲覧）、写真、音楽、ビデオ、電子メール、ゲーム、電子書籍などだ。

　既存のサービスが存在して巨大な市場になっている分野だけに、iPadは各サービスにおいてさらに優越しなければならない。

　実際、電子書籍をめぐるアマゾンKindleとの関係は、当時から議論になっていた。

　とはいえ、タブレットという形状は似ていてもiPadはパソコンであり、Kindleは読書に特化した専用のリーダーにすぎない。

　2010年1月のiPadのプレゼンで、ジョブズもタブレット端末の優位性をさりげなく強調した。

　ステージにはソファが置かれ、深々と座ってくつろいだ雰囲気でプレゼンを始めたのだ。iPadこそくつろいだ日常の作業にふさわしいとアピールしたのである。

　パソコンを先がけてつくり、市場を開拓したのはジョブズだ。その本人が、旧来型のパソコンに幕を引こうとしたのだ。

　ポスト・パソコンについてジョブズは、タブレット端末iPadを発表することで、一つの答えを出した。

第 6 章

ジョブズ「危機の乗り越え方」を語る

失敗があるから前進できる

前進し続けられたのは、
自分がやることを愛していたからだ。

ジョブズがスタンフォード大学の卒業式で行った有名なスピーチの一節だ。

ジョブズの言葉が心を打つのは、成功から一転して敗残者となり、そこから復活してアップルを時価総額ナンバーワン企業へと押し上げたドラマが背後にあるからだ。

ジョブズはスピーチの中で、アップルを追放された自分を「公然たる敗北者」と評している。しかし、深く傷つきながらも、ジョブズは成功者という重荷から解放されたことを意識する。軽やかな初心者に戻り、「人生で最も創造的な時期」へと移っていく。

ジョブズはこう語りかけた。「私が前進し続けられたのは、自分がやることを愛していたからです。自分が愛せるものを見つけなくてはいけません。……自分が素晴らしい仕事だと思えることをやるのが、本当に満足する唯一の方法なのです」と。

ジョブズはこのスピーチの中で、「アップルを追放されたことは、人生で最良の出来事だった」とも述べている。

挑戦すれば必ず、失敗もする。だが、そこで歩みを止めてしまっては、新たな創造などできないのはもちろん、人間的な成長もない。だからこそ、自分の愛するものを信じ、歩み続けるしかない。ジョブズの人生はそのことを強く、我々に訴えかけてくる。

ベストを尽くして失敗したら？
ベストを尽くしたってことさ。

みずからがつくったアップルを追放され、ネクストを創業したジョブズだが、その後も絶えずアップルを気にかけ、復帰のチャンスをうかがっていた。

しかし、いざ復帰のチャンスがめぐってきた時、ジョブズは迷うことになる。それほど当時のアップルの状況は悲惨なものだった。再建は地獄のような激務になり、家族とともに過ごす時間がゼロに等しくなるかもしれない。

一方でジョブズはピクサーの大成功によって再び成功者となり、富も栄誉も手にしていた。アップルへの復帰は、せっかくの名声を傷つける危険をはらんでいた。

この時の決断についてジョブズは、自分はアーティストだと語っている。アーティストは、失敗を恐れず挑戦するものだ。失敗はしたくない。アーティストとして挑戦したい。だが、簡単に「イエス」は言えない。「考えなければならないことが山ほどあった。家族への影響や、自分に対する世の中の評価に対する影響なんかもね。でも結局、そんなことはどうでもいいと気づいたんだ。だって、これこそが、自分がやりたいことだったんだから。ベストを尽くして失敗したら？　ベストを尽くしたってことさ」と言っている。

実際、アップルの再建はとてつもなく疲れる闘いとなったが、生み出された製品は世の中を変えるものばかりだった。

次々とことが起こるやっかいな時は、
自分にとって本当に大切なものは何かを
よくよく考える必要がある。

一つ問題が起きると、次々と問題が起きるということがよくある。そんな時、人はどうしても目の前の問題への対応に追われ、肝心なことを見落としがちだ。

自信を持って送り出したマッキントッシュが販売不振に陥るという苦難の時のジョブズも、その危機にあった。経営の中枢から外された。盟友スティーブ・ウォズニアックやアンディ・ハーツフェルドの離脱騒動も相次いだ。

こうした事態に、ジョブズは平静を装った。混乱するマッキントッシュチームやアップルについて、こんなことを口にした。

「いろいろあって、みんな、頭が混乱したんだ。次々とことが起こるのはやっかいなものだ。そういう時は、自分の価値観、自分にとって本当に大切なものは何かをよくよく考える必要がある」

ジョブズ自身、次々と新しい事態に直面すると、「よくよく考える」時間がなくなってしまい、混乱してもおかしくないと認めている。

だが、ジョブズはつとめて希望を見るようにした。自分にとって本当に大切なこと、最悪の場合、次にやりたいことは何かを考えた。そして、アップルを離れ、優れた製品をつくるためにネクストを創業するという決断をすることになったのだ。

1年で2億5000万ドルを失ったのは、自分だけだ。

アップルに復帰してから、ジョブズの人柄は変わったと言われる。愛してやまないアップルを離れ、ネクスト、ピクサーの経営に忙殺された10年余りは、人間としての成熟期だったのだろう。

それは、自分のマイナスポイントすらプラスに変える話しぶりにも見て取れる。ジョブズはさらりとこう言っている。

「(アップル追放によって)1年で2億5000万ドルを失ったのは、自分が知る限りでは私だけだ……人格形成に大きな影響を受けた」

追放以前のジョブズは気難しさと奇行が目立ち、独断専行も多かった。当時の社員の一人ローレンス・クレィヴィアは「自分はすでに死んでいる」と暗示をかけてからジョブズと面談したというほどだ。

だが復帰後、ジョブズは以前のジョブズではなかった。たとえば、アップルはマイクロソフトと協調路線を敷くことになる。かつての好戦的な彼からは想像もできない。

感情を優先させていた追放前のジョブズが、追放の10年で理性を優先させる術を覚えた時、2億5000万ドルの損失は授業料としてよみがえった。

川を渡って別のところへ行く必要はない。
向こう岸がこちらへ来てくれる。

弱点と見られたことが、時代や環境の変化によって大いなる強みへと変わることがある。アップルという会社がそうである。

ジョブズが復帰した頃は、ハードウェア部門とソフトウェア部門の両方を持つことは弱点として指摘されていた。だが、今日のようにコンピュータと家電の境界があいまいになってくると、ハードウェア、ソフトウェア、マーケティング、デザインといったすべてを兼ね備えたアップルは、きわめて有利になる。

また、コンピュータが法人市場中心だった時代には、アップルが提供する使いやすさやデザイン性は価値が低かった。価格やソフトウェアの豊富さが重要であり、デルやコンパックなどが優勢だった。

しかし、一般消費者が市場の中心になった現代では、複雑な技術を使いやすく提供するアップル製品は、少しくらい価格が高くても支持を受けるようになった。気がつけば、アップルは変わらなかったことで時代にフィットできたのだ。ジョブズはこう言う。

「この20年間アップルが注力してきたまさにその場所に、コンピュータ技術と家電市場が集約されようとしている。だから、我々は川を渡ってどこか別のところへ行く必要はない。向こう岸がこちらへ来てくれるのだから」

とてつもなく骨の折れる闘いだった。
みんな、うまくいくと思ってなかった。
不可能に近かったんだ。

アップルの音楽ビジネスは、ｉＴｕｎｅｓミュージックストア（ｉＴＭＳ）が加わることで最強のビジネスモデルとなった。

ソフトであるｉＴｕｎｅｓと、ハードであるｉＰｏｄまでなら社内で何とかなった。しかし、ｉＴＭＳの実現には、ソニー、ワーナー、ユニバーサル、ＥＭＩ、ＢＭＧという当時の大手5社すべてを説得して協力を取りつけなければならない。それは本来、不可能なことだった。実際、誰もが失敗し、それまでの音楽のオンラインストアはどれも中途半端な品ぞろえしかできなかったのだ。

ジョブズは説得に成功することで超一流のオンラインストアをつくり上げたのだが、その過程は困難をきわめた。こう述懐している。「ｉＴｕｎｅｓミュージックストアを始めようとした時も、とてつもなく骨の折れる闘いだった。業界の人間はみんな、あれがうまくいくとは思ってなかった。不可能に近かったんだ」。

ジョブズは交渉を部下に任せず、すべてみずから行った。ジョブズがコンピュータ業界だけでなく、ハリウッドの大物でもあったことが幸いした。しかも、ジョブズは熱狂的な音楽ファンであり、音楽という知的財産をつくり上げる大切さをよく理解していた。

こうして不可能は奇跡のように可能となり、私たちは今もその成果を享受している。

過去にとらわれない

昔を振り返るのはここでやめにしよう。
大切なのは明日、何が起きるかだ。

過去に素晴らしい成功を収めた企業が時とともに輝きを失うのはよくあることだ。成功に酔いしれて、革新を忘れてしまうのである。

時代はいつも急速に変化し、ユーザーの嗜好《しこう》もくるくると変わる。革新を忘れた企業はあっという間に、「かつて栄えた企業」へと朽ち果てていくことになる。

ジョブズはアップルがダメになってしまった理由についても、問題は、思ってもみなかった成功を遂げたことで創造をやめてしまったことだと考えていた。

確かに、アップルはジョブズが去ったあと、ジョン・スカリーのもと、マッキントッシュによって一時的に栄光の時代を迎えた。数字的には躍進だ。しかし、それ以上は何も生み出すことはできなかった。

やがてアップルに復帰したジョブズは、社内にあったアップル博物館や古いマシンをスタンフォード大学に寄贈して、こう言った。

「昔を振り返るのはここでやめにしよう。大切なのは明日、何が起きるかだ」

「昔、こんなすごい製品をつくった」と過去の栄光を振り返ったところで何も生まれはしない。過去を否定する必要はないが、過去にしがみつくのは愚かすぎる。

大切なのは何かをつくること、始めることだ。それを人は希望と呼ぶのだ。

自分の居場所を自分でつくるんだ。

敵をつくることも多かったジョブズは、何度もはしごを外されるような体験をしている。たとえば創業初期の頃には、計画段階から関わっていたリサ・プロジェクトのトップを、マイク・スコットによって外されている。しかも、その決定を事前に知らされていなかったから、衝撃も2倍だった。

株式公開を目前に控え、会長としてマスコミに対応する役割こそあったが、ものをつくるという居場所を奪われたジョブズは、やがてジェフ・ラスキンがひっそりと進めていたマッキントッシュ・プロジェクトに目をつけ、そこに自分の居場所を見出すこととなった。

その後、ジョン・スカリー率いるアップルには居場所がなくなったことを知ったジョブズは、創業者として安穏に暮らすのではなく、再び自分の居場所をつくることを決意した。アップルを離れ、ネクストを創業するという決断だ。取締役会でこんな話をしている。

「何かをつくっていたいのです。僕が何かをつくる場所がアップルにないのなら、過去、2回もしたことをもう一度するだけです。自分の居場所を自分でつくるんです。アップル創業時、ガレージでしたこともそうでしたし、マックを始めた時も、いわばガレージで同じことをしたようなものでした」

自分の居場所は自分でつくる。それがジョブズの希望のつくり方だった。

危うそうに見えるものがたくさんあるが、
いい兆候だ。

ジョブズとビル・ゲイツは、ライバルであり友人であると同時に、ともにリスクを取りながら新しい市場を開拓してきた同志でもあった。

マッキントッシュを開発していた時、遅れを取り戻すために、ジョブズはソフトウェアのすべてを自社開発するのでなく、外部業者にも依頼する決断をしている。

候補に挙がったのがマイクロソフトだ。

まだできあがっていない製品に肩入れするのはゲイツのやり方ではなかった。しかし、ジョブズが何かすごいことをやろうとしているという感触を持ったゲイツは、ソフトを書くことに同意した。それはＩＢＭの仕事よりもはるかに魅力的に思えた。

時代は下って２００７年、二人の合同インタビューで、ジョブズはゲイツがリスク覚悟でマックの成功に賭けてくれた功績を讃えたあと、こう話した。「今日、身のまわりには危うそうに見えるものがたくさんあるが、これはいい兆候だ。それは、その向こう側には何かひと山ありそうなのに、まだ誰も手を出していない時期なのだ」と。

ジョブズはマックに社運を賭け、ゲイツはウィンドウズに社運を賭けた。二人の成功はリスクを取った先にあった。

今あるものを改良していくだけならリスクは抑えられるが、リーダーは不要である。

いつも革新的な変化に魅了されてきた。
理由はわからない。
より困難だからかもしれない。

数々の成功を収めてきたジョブズだが、その成功は、必ずしも最初から約束されたものばかりではなかった。

マッキントッシュはスタートダッシュはよかったが、しばらくすると批判の声が高まった。個性的で面白いコンピュータだが、実用には適さないおもちゃにすぎないというのである。iＰｏｄもそうだった。製品の出来はともかく、３９９ドルという値段には、多くの人が高すぎると感じ、「この手の高額製品がどれほどの金になるのだろう？」という疑問の声が投げかけられた。『トイ・ストーリー』も同様だった。大ヒットか、それともこけるかという両方の見方が存在し、ディズニーは、このメガヒット映画のキャラクターグッズを十分に用意しそこなってしまった。

このように、革新的であればあるほど疑問視する声も大きくなるものだ。にもかかわらず、ジョブズは革新的な製品に挑み続けた。「私はいつも革新的な変化に魅了されてきた。理由はわからない。より困難だからかもしれない」と言っている。

しかし、真に創造的であれば、「失敗」はやがて「大いなる成功」へと変わるものだ。慣れたやり方と新しいやり方を比べれば、人は慣れたやり方を選ぶ。だが、新しいやり方は徐々に浸透し、気がつくと慣れたやり方は人々に忘れ去られている。

好きだと心の底から思い込め。

1980年のアップル株式公開で、750万株を持っていたジョブズは、20代で2億ドルという巨額を手にする。そして経済誌「フォーブス」が毎年発表する長者番付に名を連ねた。それから31年後の2011年、「フォーブス」の長者番付に52位でランクインした若者がいる。フェイスブック創業者のマーク・ザッカーバーグだ。株は未公開のため資産は推定だが、135億ドルだという。

ジョブズの成功は、あとに続く世代のロールモデルになったが、ザッカーバーグもジョブズをロールモデルにした経営者の一人だ。ジョブズに憧れて東海岸から、アップルに近いカリフォルニア州パロアルトに移り住んだ。トレードマークのジーパン姿もジョブズを意識してのことである。

2011年のCEO引退に臨んでも、ジョブズはアップルの現場に関わることを希望したが、仕事に押しつぶされそうになった時、ザッカーバーグはジョブズのそんな生き方と、こんな言葉を思い返すという。

「ジョブズがこんなことを言っていた。『(仕事を) 好きだと心の底から思い込め。でなければやり遂げるかいがない』。……仕事が嫌だったり、意味を理解していなかったりしたら、ばかばかしくてこんなことはやっていられない」

大変な時期だけど、でも人生は続く。
続けなきゃいけないんだ。

iPodが一般にお披露目されたのは2001年10月のことだ。ニューヨークの高層ビルなどに乗っ取られた航空機が突っ込んだ9月11日のアメリカ同時多発テロ事件から、1カ月余りしか経っていない。

ジョブズも「9・11」を強く意識せざるを得なかった。

9月11日当日には、ジョブズはアップル社員にあててこんなメールを送っている。

「今日は家族と一緒にいたいと思うなら、そうしてくれてかまわない。出社して働きたい社員のために、社屋は開けておく」

そんなショックから1カ月後に新製品を発表する意義について、ジョブズはこんな言葉を口にした。

「この大変な時期にこの製品を発表することができて、僕らみんなが満足してると思うよ。世間の人たちにささやかな喜びを提供できるんじゃないかな」

ジョブズは「世界を変える」といった表現を避けている。ただ、すごい製品をつくれば、ショックに打ちひしがれたたくさんの人に喜びを提供することはできると考えていた。

「今は大変な時期だけど、でも人生は続く。続けなきゃいけないんだ」

これまでのジョブズの人生、そしてその後の彼の人生を象徴するような言葉であった。

▼ジョブズが手がけた作品たち⑦
『トイ・ストーリー』

ジョージ・ルーカスが自社のコンピュータ部門を手放す。そんな話をジョブズに取り次いだのはなんと「パソコンの父」アラン・ケイだった。ケイは、優れたCG技術があると買収をすすめたが、ピクサーはとんだ金食い虫だった。

だが、買収から9年目、苦労は『トイ・ストーリー』の成功で一変する。ピクサーは上場を果たして、ジョブズは1日にして4億ドルの資産を手に入れた。さらに、契約関係にあったディズニーに不平等な条件の見直しを迫った。その結果、著作権や商品化権、収益は大幅に有利になり、今後の制作主導権もピクサーが握った。いずれも凄腕として知られるディズニーCEOマイケル・アイズナーから引き出したもので、ジョブズの交渉力の強さが証明された。

ジョブズの勢いは止まらない。アイズナーに対して、さらに取り分のかさ上げを要求する。さすがにアイズナーが拒否すると、株主の怒りがアイズナーに向けられ始めた。当時、ディズニーの売上の多くはピクサーが占めていたのだ。最終的にディズニーがピクサーを買収、ジョブズは筆頭株主に収まる。ディズニーから追われたのはアイズナーのほうだった。

第7章

ジョブズ「生と死」を語る

人は、生まれ、ほんの一瞬生き、
そして死ぬんだ。ずっとそうだ。

スティーブ・ジョブズが逝去した当初、アップルのホームページには「１９５５-２０１１」と没年が記されたジョブズの写真が表示されていた。同時代に生きた偉人に没年が記される悲しみと驚き。それを多くの人が共有したのではないだろうか。

ジョブズは若い頃、常に「宇宙に衝撃を与えるほどのものをつくろう」と言っていた。そうやってマッキントッシュを開発し、アップル追放にも耐えてピクサーを世界トップに押し上げた。

しかし、40歳になった頃から、ジョブズはコンピュータとテクノロジーについて「これで世界が変わるわけじゃない」と言うようになった。

そんなことを言うと、ジョブズファンががっかりしますよと言われ、こうつけ加えた。

「悪いけど、それが真実なんだ。子供を持って、そのあたりの見方が大きく変わったよ。人は、生まれ、ほんの一瞬生き、そして死ぬんだ。ずっとそうだ。これは、技術じゃ、ほとんどまったくと言っていいほど変えられないことだ」と。

やがてジョブズは「微力ながら世界をよりよくしたい」と言うようになる。

目指しているのは、世界を変えることなのだろう。しかし、そこに生と死への洞察が加わることによって、表現はやさしくなり、ジョブズは人間として成熟していく。

擦り傷のついたステンレスを美しいと思う。
僕たちだって似たようなもんだ。

ｉＰｏｄが世界的に大ヒットした要因はいくつもあるだろうが、多くの人が認めているのが、その傑出したデザイン性だ。

ある調査によると、ｉＰｏｄを購入した理由のトップに上がったのは、「美しいデザイン」だった。また、ある社会学者は、デジタル音楽の時代には「美は音楽ではなく、ｉＰｏｄに宿るのだ」とその美しさを讃えた。

だからジョブズは、ｉＰｏｄの外見を損ねるものをあざけりの目で見つめる。ある人がジョブズとのインタビューに透明プラスチックのカバーに入ったｉＰｏｄを持っていったところ、ジョブズは「モナリザに牛の糞をなすりつけた犯罪者」を見るような目を向けたという。ジョブズは「傷や汚れをつけたくないからだ」という言いわけにいっさい耳を傾けずにこう言った。

「僕は、擦り傷のついたステンレスを美しいと思うけどね。僕たちだって似たようなもんだろう？　僕は来年には50歳だ。傷だらけのｉＰｏｄと同じだよ」

数日後、ジョブズは膵臓ガンという診断を受け、入院を余儀なくされることになるが、病気に限らず、人生の中で幾度もパンチを浴び、倒れそうになった経験を持つジョブズならではの美学がそこにあった。

仕事の過程と結果

旅の過程にこそ価値がある。

マッキントッシュの開発チームを鼓舞するためにジョブズが研修会などで口にする言葉は「ジョブズ会長語録」と呼ばれていた。

「海軍に行くなら海賊になったほうがいい」など有名な言葉が並ぶ中に、「The Journey is the Reward」という言葉もあった。「旅の過程にこそ価値がある」といった意味だが、ネクストジャパンの代表取締役を務めたジェームス比嘉は、この言葉をこう解釈している。

「終着点は重要じゃない。旅の途中でどれだけ楽しいことをやり遂げていけるか、そちらのほうが大事なんだ」

ジョブズは結果重視の人間のように見えるが、そうではない。過程の大切さ、経験の価値を重視してもいる。仕事をしたという記憶のほうが、仕事の成果そのものよりも長く持続すると考えていたようだ。

みんなを奴隷のようにこき使ったあげく成果を独り占めする。若い頃のジョブズにはそんなイメージがつきまとっていた。しかし、現実には、ジョブズは「仕事はチームスポーツなんだ」と言っている。

その「お陰さま」の心は、年齢とともに深みを増していく。

子供の頃に少し矯正してやるだけで、
その後に大きな違いが出る。

少年ジョブズは、このままでは非行少年になるのではと思わせる危うさがあった。「新学期からは学校へ行かない」と両親に宣告することで引っ越しを強行するなど我が強く、めそめそと泣き出す一面があるかと思えば、悪質ないたずらを繰り返す。学校にとっては、かなりのやっかい者だった。

そんなジョブズに転機が訪れたのは、小学校４年生の時に教師のイモジーン・ヒルに出会ってからだ。ヒル先生は「この学習帳をやってほしいの。最後までできたら５ドルあげるわ」などと言ってジョブズをやる気にさせていった。この１年間でジョブズの成績は急上昇し、教師たちが飛び級をすすめるほどの進歩を見せている。

「担任のヒル先生や、その他数人の恩師がいなかったら、僕は１００パーセント間違いなく、刑務所に入るはめになっていた」と語るジョブズは、みずからの経験を踏まえてこう話している。

「平等なチャンスとは、何よりも『優れた教育』だと思う。子供の頃にほんの少し進む道を矯正してやるだけで、その後に大きな違いが出る」

ジョブズが後年、１万台のアップルⅡを教育機関にプレゼントしたのも、教育の力を信じさせたヒル先生との出会いが影響していたのかもしれない。

歳をとればとるほど、
動機こそが大切だという確信が深まる。

スティーブ・ジョブズの人生は、決して順調そのものではなかった。

まず、自分が創業したアップルから追放され「全米で最も有名な敗北者」になった。追放中に創業した新会社ネクストは倒産寸前になったし、もう一つの新会社ピクサーはジョブズのお金を食いつくすたいへんな金食い虫だった。

さらに、ｉＰｏｄは当初、「高価なだけ」と酷評されたし、ｉＰｈｏｎｅも大手通信会社の壁に直面している。

それらを乗り越えて、「過去10年間で最高のＣＥＯ」（経済誌「フォーチュン」２００９年選定）になれたのは、仕事の目的がお金や名誉ではなく、革新であったからだと思える。

ジョブズはヒューレット・パッカードの創業者ビル・ヒューレット、デービッド・パッカードを若い頃のロールモデルとしているが、理由は彼らの目標がアップルと同じだったからだ。こう言っている。

「歳をとればとるほど、動機こそが大切なのだという確信が深まる。ヒューレット・パッカードの第一の目標は優れた製品をつくることだった。私たちアップルの第一の目標は世界一のパソコンをつくることだ。最も大きな企業になることでも、最も金持ちの企業になることでもない」

この地上で過ごせる時間には
限りがあります。
本当に大事なことを
本当に一生懸命できる機会は、
二つか三つくらいしかないのです。

ジョン・スカリーを初めて自宅に招いた日、ジョブズは「たいして家具がなくて、本当はもっとちゃんとしたいのですが」と言いわけをしている。

ジョブズの自宅は、優美な最高級品か、実用一点張りの家具が少しだけ置かれ、人が住んでいる気配がほとんど感じられなかったという。

「彼はその努力のすべてをアップルに傾けていた」からだろう、とスカリーは思った。

そのスカリーに、食堂のテーブルのそばで、ジョブズはこんな言葉を口にした。

「僕らはみな、この地上で過ごせる時間には限りがあります。僕たちが本当に大事なことを本当に一生懸命できる機会は、たぶん二つか三つくらいしかないでしょう。どのくらい生きられるか知っている人はいないし、僕も知りませんが、でも僕には若いうちに大事なことをたくさんしておかねば、という意識があります」

スカリーは、そんなジョブズを見て、「少しでも多く価値あることをしなければならないと、追い立てられるように感じているのだろう」と受け取ったという。

ジョブズには人並み外れたスピードへの執着があったことがよくわかるエピソードである。限られた時間をムダにすることなく、大事なことを一生懸命にやる。それは早くからジョブズの変わらぬ生き方だった。

墓場で一番の大金持ちになっても
意味はない。

充実した人生を送るために、絶えず「死」を意識のうちに置いておくのがジョブズの生き方だ。

発言にも「死」という言葉がちりばめられているものが少なくない。心の仏教徒としての生き方が死を身近に感じさせているのかもしれない。

次のコメントには、特に親近感を覚えてしまう。

「墓場で一番の大金持ちになっても意味はない……夜、ベッドにもぐりこんだ時、『素晴らしいことを成し遂げた』と、そう自分に言えることが自分には何よりも意味がある」

そもそも誕生した時からジョブズは死と隣合わせだった。

ジョブズを生んだ実の母は未婚の大学院生だった。当時、未婚の女性が妊娠すれば、選ぶ道は二つしかなかった。養子に出すか、それとも堕胎するか。後年、生母と奇跡的な再会を遂げたジョブズだが、堕胎ではなく、自分を生むことを選んでくれた母親を恨むことはなかったという。

新しいものを生み出す

死は生命の最も素晴らしい発明だ。

競争は残酷だ。新しい何かが生まれることによって、古いものが一掃される。そして、それを残念がる人はほとんどいない。

時に「破壊者」と呼ばれることもあるグーグル元CEOエリック・シュミットは、こんな例を使って、死と破壊による新旧交代は仕方のないことだと話している。「ポケットベル業界が立ち行かなくなったことを、残念に思うかい？　思わないだろう。代わりに携帯電話があるからさ。優れた代替品にあらがうのは、どうあがいても無理なんだ」と。

最初のアップル時代、ジョブズはある記者からこう聞かれている。歴史ある会社が、若い会社に追いつくために地面にはいつくばっている。それをどう思うかというのだ。

ジョブズはこう答えている。

「私は、死というのは生命の最も素晴らしい発明だと思う。それは時代遅れの古いモデル体系を一掃するのだ」

ジョブズは、スタンフォード大学の卒業式スピーチでも「死は生が生み出した最良のもの」という表現を使っている。死は古いものを消し去り、新しいものへの道を開く、と。

この言葉は競争と淘汰に関してのものだろう。しかし、人間の運命を考える時にも、深い示唆をもたらしてくれると思う。

起業の目的とは

永遠の何かをつくり出したのか？

１９９０年代後半から２０００年代初め、アメリカでネット関連の起業ブームが起きた。まだ何も生み出していない企業にまで、インターネット関連というだけでベンチャーキャピタルがお金を注ぎ込んだ。さしたる実績なしに上場する企業さえ誕生した。

こうした現象に、ジョブズは苦言を呈した。「残念なのは彼らが最初から、つくった会社をいずれ売却するつもりでいることだ。『いくらかの金は稼いだのだろうが、永遠の何かをつくり出したのか？』と聞きたくなる。悲しいね」と。

ジョブズの成功は、「僕らほどパソコンを愛する者はいない」と言うほど製品と向き合い、執着し、工夫の限りを尽くしたからこそだ。

ジョブズから見ると、マイクロソフトＣＥＯスティーブ・バルマーも、デルＣＥＯマイケル・デルも、インテルＣＥＯクレイグ・バレットも、パソコンを愛していない。彼らは、パソコン業界にいなければ、きっと別の業界で、何かを売っていたはずだ。そしていくらかの金を稼いだに違いない。

だが、部品を組み合わせて面白味のない箱に入れ、出荷するだけの仕事が面白いだろうか。イノベーションを忘れた業界の中で、「情熱」という空回りしがちな言葉を堂々と前面に掲げたのがジョブズだった。

起業で成功する条件

必要なのは、
世界に自分のアイデアを広めたい
という思いだ。

ジョブズは言う。「世界が少しましなのは、アップルがあるからだ。だから僕はここにいるんだ。誰かがいいコンピュータをつくらないとね。アップルがやらないと、おそらくどこもやらないだろう」と。

そういう強烈な自負があるジョブズに若い起業家たちはあこがれ、成功の秘訣に関する質問を投げかけることも少なくなかった。だが、ジョブズは甘くない。大切なのは起業の動機だ。なぜ会社を起こしたいか。「理由を尋ねると『金儲けがしたい』と答えるのです。こういう人には、やめたほうがいいとアドバイスします」と容赦ない。

こう語っている。「必要なのは、世界に自分のアイデアを広めたいという思いです。それを実現するために会社を立ち上げるんです」「金が目当てで会社を始め、成功させた人は見たことがありません」と。

ジョブズは金儲けを否定しているのではない。

企業を経営していれば、つらいこともたくさんある。批判を浴びて孤立無援になる中で判断を迫られることもある。社員のクビを切ることだってある。そんな経営者としての真価が問われる時の覚悟をただしているのだ。最後の最後に自分を支えるのは動機だ。それが、思いや情熱といった自分の内部にあるものならば、まずは合格だというのである。

お金の問題ではない。
私がここにいるのは
そんなことのためではない。

アップルに復帰し、暫定ＣＥＯとして再建の激務を担うことになったジョブズは、高額な報酬を受け取ることを拒否し、年俸わずか１ドルを希望した。本当は年俸ゼロで働きたかったが、医療保険に入る関係で１ドルにしたのだ。

アップルが赤字だったからではなく、業績が回復しても増額することはなかった。それだけではなく、魅力的な提案にも「ノー」の姿勢を貫いている。

１９９８年、アップルが２四半期連続の黒字を計上すると、取締役会はジョブズを正式ＣＥＯとし、同時に６００万株の普通株と１００万株の制限つき株式を贈ることを申し出た。だが、ジョブズはこう言って提案を断った。「これはお金の問題ではない。私がここにいるのはそんなことのためではないのだ」と。

その後のアップルの株価の上昇を考えると、ジョブズは実に10億ドルものお金を受け取り損ねた計算になるという。ジョブズにとってアップル再建は、自分が創業した企業が失った輝きを取り戻す戦いだった。

破綻した金融機関ソロモン・ブラザーズの再生のために会長となった著名投資家ウォーレン・バフェットも年俸１ドルで引き受けているが、力ある者にとってはお金のためではなく、名誉のために戦う時が必ずあるようだ。

ジョブズの人生観

キャリアではない。私の人生なんだ。

イギリスの俳優兼作家でジャーナリストのスティーヴン・フライは、２０１０年春、あこがれのアップルのあるクパチーノを訪れ、ジョブズ本人に会う機会に恵まれた。

大学のキャンパスのようなオープンな雰囲気の構内に驚いたフライは、やがて目の前に現れたジョブズの姿に愕然とした。

肝臓移植手術を受けたことは知っていたが、憔悴《しょうすい》ぶりがあまりにも激しかったからである。「これはニセ者だ」と上げそうになった声を押しとどめたのは、黒のタートルネックと、リーバイス５０１のジーンズというおなじみの姿だった。

パソコンのコンセプトを一新したｉＰａｄを発売したばかりのこの時期、フライは企業人としてのジョブズの人生に、結節点を感じ取っていたのだろう。ぶしつけにこう質問した。「キャリアの絶頂を迎え、この恰好の引き際でアップルをあとにされるのですか」と。

ジョブズは怒りもせず、次のように答えている。

「自分の人生をキャリアとして考えたことはない。なすべき仕事を手がけてきただけだよ……それはキャリアと呼べるようなものではない。これは私の人生なんだ」

ジョブズがＣＥＯを退任したのは、１年半後の２０１１年だった。本人が「私の人生」と語ったように、いつまでもアップルの一員として生きることを希望していた。

今日が人生最後の日だったら、今日やろうとしていることをやりたいか？

ジョブズがスタンフォード大学の卒業式で行った有名なスピーチの一節だ。

ジョブズは17歳の時に、こんな言葉に出会ったという。

「もしあなたが毎日、これが最後の日と思って生きるなら、いつかきっと正しい道に進むだろう」

人には誰でも最後の日が訪れる。その運命を逃れられた者はいない。そんな限られた時間の中でよりよく生きるには、時間をムダにしてはいけないし、今日を最良の日にしようという努力が欠かせない。

そんな感銘を受けたジョブズは、よりよい生を生きるために、こんな習慣がついたという。「以来33年間、毎朝鏡を見つめて自問自答しています。『もし今日が人生最後の日だったら、今日やろうとしていることをやりたいと思うか?』と。もしノーの答えが何日も続けば、何かを変える必要があるとわかるのです」。

ジョブズは後に妻となるローリーン・パウエルと出会った時も「今日が自分にとって最後の夜だったら、会議とこの女性のどっちを取る?」と自問自答している。

ジョブズはこうスタンフォードの卒業生に語りかけた。「一番大事なのは自分の心と直感に従う勇気を持つことです」。

◎スティーブ・ジョブズ小史

1955年（0歳）	2月24日サンフランシスコで大学院生の子として誕生
	すぐポール・ジョブズ夫妻の養子になる
	＊ビル・ゲイツがシアトルで誕生
1971年（16歳）	5歳年長のスティーブ・ウォズニアックと出会い、親しくなる
1972年（17歳）	オレゴン州リード大学に進むが、ほどなく中退
1974年（19歳）	ゲームメーカー・アタリ社の夜勤エンジニアになる
1975年（20歳）	＊ゲイツがマイクロソフト創業
1976年（21歳）	アップル設立。「アップルⅠ」発売
1977年（22歳）	アップル創業（法人化）。社長にマイク・スコット
	「アップルⅡ」発売。大ヒットとなる
1979年（24歳）	ゼロックスのパロアルト研究所を見学し、啓示を受ける
1980年（25歳）	アップルの株式を公開。若くして巨富を得る
1981年（26歳）	マッキントッシュチームを指揮
	アップル暫定CEOにマイク・マークラ就任
	＊IBMがパソコンに参入

１９８３年（28歳）　アップルＣＥＯにジョン・スカリー就任
「リサ」発売。商業的には失敗
１９８４年（29歳）　「マッキントッシュ」発売。テレビＣＭ「１９８４」放映
１９８５年（30歳）　アップルを追放される
ネクスト社を創業
＊ウィンドウズ１・０発売
１９８６年（31歳）　ピクサーを買収しＣＥＯになる
１９８８年（33歳）　ネクストが「ネクストキューブ」発売
１９８９年（34歳）　『ティン・トイ』がアカデミー賞短編アニメ賞を受賞
１９９０年（35歳）　「ネクストステーション」発売
１９９１年（36歳）　ローリーン・パウエルと結婚
ピクサーがディズニーと契約
１９９３年（38歳）　アップルＣＥＯにマイケル・スピンドラー就任
１９９５年（40歳）　『トイ・ストーリー』が世界的ヒット
ピクサーの株式を公開し、再び富豪に
＊ウィンドウズ95発売

1996年（41歳）アップルCEOにギル・アメリオ就任

アップルに特任顧問として復帰

1997年（42歳）アップル暫定CEOに復帰

マイクロソフトと業務提携

1998年（43歳）「iMac」発売、大ブームに

＊ラリー・ペイジらがグーグル創業

2000年（45歳）アップルCEOに正式就任

2001年（46歳）「iTunes」がリリースされる

「iPod」発売。爆発的な世界的ヒット

2002年（47歳）iPodウィンドウズ版を発売

2003年（48歳）「iTunesミュージックストア（iTMS）」開始

『ファインディング・ニモ』がメガヒット

2004年（49歳）膵臓ガンの摘出手術で休職

「iPodミニ」発売

＊ザッカーバーグがフェイスブック創業

2005年（50歳）スタンフォード大学でスピーチ

2006年（51歳）ディズニーがピクサーを買収し、ジョブズがディズニー個人筆頭株主に

iTMSが「iTunesストア」に名称変更

2007年（52歳）　「iPhone」発売。スマートフォン時代の幕を開ける

2008年（53歳）　＊ビル・ゲイツが引退

2009年（54歳）　二度目の病気療養。半年で復帰

2010年（55歳）　「iPad」発売。タブレット端末の流れをつくる

アップルの株式時価総額がマイクロソフトを抜く

2011年（56歳）　「iPad2」発売

アップルCEOを辞任

10月5日逝去

参考文献

執筆にあたって多くの書籍、雑誌、新聞、ウェブ記事などを参考にさせていただきました。いずれも示唆に富むものであり、心からお礼申し上げます。

《日本語書籍》

『スティーブ・ジョブズ　偶像復活』ジェフリー・S・ヤング＋ウィリアム・L・サイモン　井口耕二訳　東洋経済新報社

『スティーブ・ジョブズ』Ⅰ・Ⅱ　ウォルター・アイザックソン　井口耕二訳　講談社

『スティーブ・ジョブズ　パーソナル・コンピュータを創った男』（上、下）ジェフリー・S・ヤング　日暮雅通訳　JICC出版局

『スティーブ・ジョブズの道』ランドール・ストロス　斉藤弘毅＋エーアイ出版編集部訳　エーアイ出版

『スティーブ・ジョブズの再臨』アラン・デウッチマン　大谷和利訳　毎日コミュニケーションズ

『スティーブ・ジョブズの流儀』リーアンダー・ケイニー　三木俊哉訳　ランダムハウス講談社

『スティーブ・ジョブズ　驚異のプレゼン』カーマイン・ガロ　井口耕二訳　日経BP社

『スティーブ・ジョブズの王国』マイケル・モーリッツ　林信行監修・解説　青木榮一訳　プレジデント社

『ジョブズ・ウェイ　世界を変えるリーダーシップ』ジェイ・エリオット＋ウィリアム・L・サイモン　中山宥訳　ソフトバンククリエイティブ

『スティーブ・ジョブズ――偉大なるクリエイティブ・ディレクターの軌跡』林信行　アスキー

『アップル・コンフィデンシャル2・5J』（上、下）オーウェン・W・リンツメイヤー＋林信行　武舎広幸＋武舎るみ翻訳協力　アスペクト
『アップル』（上、下）ジム・カールトン　山﨑理仁訳　早川書房
『アップル薄氷の500日』ギル・アメリオ＋ウィリアム・L・サイモン　中山宥訳　ソフトバンク
『メイキング・オブ・ピクサー――創造力をつくった人々』デイヴィッド・A・プライス　櫻井祐子訳　早川書房
『ピクサー流マネジメント術』エド・キャットマル　小西未来訳　ランダムハウス講談社
『ピクサー成功の魔法』ビル・カポダイ＋リン・ジャクソン　早野依子訳　PHP研究所
『iPodは何を変えたのか?』スティーブン・レヴィ　上浦倫人訳　ソフトバンククリエイティブ
『レボリューション・イン・ザ・バレー』アンディ・ハーツフェルド　柴田文彦訳　オライリー・ジャパン
『アメリカン・ドリーム』マイケル・モーリッツ　青木榮一訳　二見書房
『アップルを創った怪物』スティーブ・ウォズニアック　井口耕二訳　ダイヤモンド社
『スカリー』（上、下）ジョン・スカリー＋ジョン・A・バーン　会津泉訳　早川書房

《その他》

NHK「クローズアップ現代」2001年3月29日放送

《英文ウェブ版雑誌など》

[Magazine]

Fortune 1995.9.18/1996.2.19/1998.11.9/2003.5.12/2008.3.10/2008.8.3
TIME 1997.8.18/1999.8.18/2007.1.12/2007.7.17/2010.4.1/2011.3.3

The New York Times Magazine 1990.3.24/1997.8.9/2006.1.16
Newsweek 1985.9.30/2003.10.27/2006.10.14
The Wall Street Journal 1993.summer
WIRED 1996.Feb
Playboy 1987.Sep
Businessweek 1997.Sep/2004.8.12
Bloomberg 2000.8.20
[Website]
http://en.wikiquote.org 1984.1.24/1998.4.22/2007.1.9/2007.5.10
[Others]
CBS 60 Minutes 2008.12.12
CNN Money.com 2008.3.5
Steve Jobs Oral History 1995.4.20
PBS[Triumph of the Nerds: The Rise of Accidental Empires]1996
Knowledge@Wharton 2008.2.20

本書は、『スティーブ・ジョブズ名語録』（2010年刊、ＰＨＰ文庫）、『スティーブ・ジョブズ全発言』（2011年刊、ＰＨＰビジネス新書）、『スティーブ・ジョブズ　英語で味わう魂の名言』（2012年刊、ＰＨＰビジネス新書）を抜粋し、加筆・訂正、再編集したものです。

装丁：山之口正和（OKIKATA）
翻訳・制作協力　秋山勝
編集協力　吉田宏
本文イラスト　桜井勝志
装丁写真　dpa／時事通信フォト

〈著者略歴〉

桑原晃弥（くわばら・てるや）

1956年広島県生まれ。経済・経営ジャーナリスト。慶應義塾大学卒。業界紙記者を経てフリージャーナリストとして独立。トヨタからアップル、グーグルまで、業界を問わず幅広い取材経験を持ち、企業風土や働き方、人材育成から投資まで、鋭い論旨を展開することで定評がある。主な著書に『ウォーレン・バフェット 巨富を生み出す7つの法則』（朝日新聞出版）、『スティーブ・ジョブズ名語録』（PHP文庫）、『トヨタのPDCA+F』（大和出版）、『トヨタ式 考える力』（日本能率協会マネジメントセンター）など多数。

［決定版］スティーブ・ジョブズ名語録

心に火がつく101の言葉

2021年10月5日　第1版第1刷発行

著　者　桑原晃弥
発行者　後藤淳一
発行所　株式会社PHP研究所
東京本部　〒135-8137 江東区豊洲5-6-52
第二制作部　☎03-3520-9619（編集）
普及部　☎03-3520-9630（販売）
京都本部　〒601-8411 京都市南区西九条北ノ内町11
PHP INTERFACE　https://www.php.co.jp/

組　版　有限会社エヴリ・シンク
印刷所　図書印刷株式会社
製本所　図書印刷株式会社

 ISBN978-4-569-85081-8